Pasión de la Tierra

Letras Hispánicas

Vicente Aleixandre

Pasión de la Tierra

Edición de Gabriele Morelli

TERCERA EDICIÓN

CATEDRA

LETRAS HISPANICAS

Ilustración de cubierta: Mirando Haz

© Vicente Aleixandre
© Herederos de Vicente Aleixandre
© Ediciones Cátedra, S. A., 2000
Juan Ignacio Luca de Tena, 15. 28027 Madrid
Depósito legal: M. 49.382-1999
ISBN: 84-376-0645-4
Printed in Spain
Impreso en Closas-Orcoyen, S. L.
Paracuellos de Jarama (Madrid)

Índice

Introducción

VICENTE ALEIXANDRE

PASION
DE   LA
TIERRA
POEMAS
(1928 · 1929)

FABULA   1935   MEXICO

Portada facsímile de la primera edición de *Pasión de la Tierra*.

Las razones de una demora

1.0   A más de cincuenta años de la primera y tí-
mida aparición del libro[1], y no sin haber superado reservas de orden crítico y editorial, llega a los lectores
de poesía, en la edición definitiva propuesta por el autor, la obra juvenil de Vicente Aleixandre *Pasión de
la Tierra,* la colección de poemas en prosa que signi-
ficó la adhesión del poeta a la experiencia irracionalista, la cual influiría notablemente en su producción
posterior. Nos preguntamos: ¿por qué tal incomprensión?, ¿por qué tal retraso?

Se trata, en efecto, de una obra extremadamente
significativa, ya que representa la primera y auténtica
incursión de la literatura española en el surrealismo
poético: una obra que, por haber sido realizada entre 1928 y 1929, superaba de golpe las frágiles con-
quistas formales de la vanguardia nacional (nacidas de
espíritus eclécticos, de actitudes de carácter lúdico[2] o

---

[1] La obra fue compuesta en 1928-29, pero aparece (incompleta y limitada a 150 ejemplares) en 1935, editada por Fábula, México. La
2.ª ed., completa, sale en 1946 en Madrid, a cargo de la Colección Adonais. Como se ve, el libro ha sufrido un largo y difícil camino editorial,
ya que fue escrito dieciocho años antes de su primera publicación en España. Sobre su complejo *iter* gestativo, véase, en la pág. 81 la tabla sinóptica de su evolución compositiva en el tiempo.

[2] Piénsese en los juegos verbales realizados por los amigos intelectua-

de las nuevas ideas profesadas por Huidobro, Larrea, Gerardo Diego), y, por lo tanto, asumía el significado de una exploración llevada a los límites de lo cognoscible; más aún, un descenso a los infiernos, una «evasión hacia el fondo», como bien indicaba el título de la proyectada edición de 1929[3]. El poeta afirmaba una ruptura, un rechazo, una liberación que se llevaba a cabo a través de un envolvimiento directo del cuerpo, protagonista absoluto de la *recherche,* arrastrado y desgarrado por tendencias opuestas, que iban de un deseo de unión cósmica lograda mediante el acto de la consunción amorosa —la gran temática aleixandrina— a una necesidad más inmediata y circunstancial de auscultación y autodefinición personal. Por lo cual —y lo veremos más adelante— ya se perfilan las direcciones fundamentales que rigen el armazón externo del libro: un fuerte impulso dirigido hacia lo alto y un movimiento más general orientado hacia el fondo.

Por lo demás, *Pasión de la Tierra* inauguraba una fase de búsqueda que se adhería «al modo hispánico» —sin llegar a ser un abandono completo— al *dictamen* de la escritura automática, empeñada en conciliar términos dialécticamente opuestos, tales como la percepción y la representación. Al mismo tiempo, la colección de poemas en prosa se alineaba con las pro-

les de la Residencia de Estudiantes de Madrid. Sobre su anecdótica verbal —«anaglifos» y los «putrefactos»— nacida en el entorno goliárdico de la «Resi», véase lo que describe V. Bodini *(I poeti surrealisti spagnoli,* Turín, Einaudi, 1963, págs. XXIX-XLI; trad. esp., *Los poetas surrealistas españoles,* Barcelona, Tusquets, 1971); o bien, sobre el ambiente en general de la Residencia, J. Crispin *(Oxford y Cambridge en Madrid. La Residencia de Estudiantes,* Santander, La Isla de los Ratones, 1981) y, por último, M. Sáenz de la Calzada, *Historia de la Residencia,* Textos Residencia, Madrid, C.S.I.C., 1986.

[3] Como dirá el propio Aleixandre (véase en la pág. 20), el libro, a punto de salir, ya había sido anunciado con el título *La evasión hacia el fondo.*

puestas formales expresadas por otros sectores del arte —la pintura, el cine, la música— en los cuales la cultura española, o más bien el grupo de la diáspora parisina, veía emerger algunas figuras de valor excepcional, como Picasso, Dalí, Miró, Buñuel, por citar sólo algunos nombres de gran notoriedad.

El mismo Aleixandre, aun antes de la publicación de *Pasión de la Tierra,* daba a la imprenta dos libros importantes: *Espadas como Labios* (1932) y *La Destrucción o el Amor* (1935), que llamaron la atención de la crítica y señalaron al autor como exponente principal de la tendencia innovadora, presente —junto a la tradicional— en las propuestas creadoras del movimiento generacional. Además, a partir del final del conflicto mundial, el autor publicaba una serie de obras, entre las cuales señalamos *Sombra del Paraíso* (1944) y *En un Vasto Dominio* (1962), que constituyeron el punto más alto del canto, ya liberado de las sombrías incrustaciones del pasado. Sucesivamente, con los *Poemas de la Consumación* (1968) y *Diálogos del Conocimiento* (1974), el poeta parece volver a una visión fundamentalmente gnoseológica (y antológica), concentrándose en temas de meditación sobre la vida y la muerte, en un intento de síntesis final y de autodefinición crítica, que nos recuerda la vía iniciada en el primer periodo con *Pasión de la Tierra.*

1.1   Como se ve, aun considerando la completa trayectoria de la producción aleixandrina, marcada por constantes temáticas y estilísticas aparentemente antinómicas en cuanto que proponen elementos de innovación y de retorno, la experiencia juvenil de *Pasión de la Tierra* se sitúa en el centro del itinerario poético del autor, como fue subrayado por el propio Aleixandre y confirmado últimamente por sus críti-

cos [4]. Por ello es natural preguntarse cómo es posible
que *Pasión de la Tierra* —al contrario de las otras
obras aleixandrinas— no haya tenido la justa consideración que merecía, ni siquiera tras la operación de
repêchage seguida a la concesión del premio Nobel
de Literatura a Aleixandre en 1977. Tal abandono no
está justificado por la oscuridad del texto —que indu-
dablemente existe—, ya que muchas obras considera-
das poco legibles han encontrado igualmente favorable acogida entre los lectores. Ni puede valer la mo-
tivación de una obra publicada con antelación y de todos modos incomprendida en el panorama de la cultura nacional, puesto que su difusión hubiera permi-
tido valorar mejor la entera producción aleixandrina,
haciendo posible al mismo tiempo emitir un juicio
más coherente sobre el panorama de la vida literaria
española en vísperas de la guerra civil.

A favor de la conjura del silencio pudo haber in-
fluido el carácter esotérico y experimental evidente en
la obra poética aleixandrina, mostrándose reacia a una
rígida catalogación crítica e ideológica; una poética
que se presenta con una fisonomía particular en el
seno del mismo cuerpo generacional, empeñada en re-
correr el camino surrealista con una medida no limi-

---

[4] Tanto el autor (cfr. pág. 21), como los últimos estudios sobre su
obra, han puesto de relieve la tupida serie de términos e imágenes que,
viviendo un proceso natural de enriquecimiento, vuelven a presentarse
en los libros sucesivos del poeta. Véase a este propósito: V. Doroste, «La
unidad poética de Aleixandre», en *Ínsula*, núm. 50, febrero de 1950, página 6; V. Molina Foix, «Vicente Aleixandre: 1924-1969», en *Cuadernos
Hispanoamericanos,* núm. 242, febrero de 1970, págs. 281-99; G. Morelli,
Linguaggio poetico del primo Aleixandre, Milán, Cisalpino-Goliárdica,
1972, págs. 40-45; G. Carnero, «*Ámbito,* germen de la obra aleixandrina», en *Ínsula,* núms. 374-75, enero-febrero de 1978, pág. 9; «*Ámbito*
(1928): razones de una continuidad», en *Cuadernos Hispanoamericanos,*
núms. 352-54, octubre-diciembre de 1979, págs. 284-93; A. Amusco, «*Ámbito:* vetas distintas», en *Hora de poesía,* Barcelona, marzo-abril de 1984,
págs. 12-17.

tada a una experiencia de pocos años (como sucede con los compañeros del movimiento: Rafael Alberti, García Lorca, Luis Cernuda, Gerardo Diego, etc.), sino que tiende a prolongarse en el tiempo abarcando una entera existencia. No obstante, hay motivos relacionados con la historia del libro y con la personalidad del poeta, que pueden ayudar a explicar el fenómeno.

1.2 La primera razón es debida al comportamiento general de incomprensión mostrado por la crítica frente a la obra, considerada demasiado oscura y difícil y, de todos modos, imposible de descifrar.

Las reseñas aparecidas con motivo de la publicación del libro —como la edición mejicana de 1935 y la española de 1946— muestran algunos nombres de jóvenes críticos y poetas destinados a ser pronto exponentes autorizados de la cultura peninsular: José Luis Cano, Gerardo Diego y Ricardo Gullón[5]. Reseñas y presentaciones que dan en el blanco, indicando el significado profundo de aquella juvenil experiencia guiada bajo la insignia de la escritura irracional («¡Qué espléndida lección en esta *Pasión de la Tierra,* libro de oscuridad deslumbrante, caudaloso, juvenil y riquísimo!», escribe con entusiasmo Ricardo Gullón[6]); pero, al mismo tiempo, estos juicios están condicionados por la lectura de los libros precedentes de Aleixandre; por lo que el discurso crítico, en vez de adentrarse en una hermenéutica atenta a excavar en la consistencia de la obra, se mueve continuamente en la búsqueda de vínculos y de coincidencias existentes con

---

[5] Respectivamente: J. Luis Cano, *«Pasión de la Tierra.* Vicente Aleixandre»*, en *Sur,* Málaga, enero-febrero de 1936, pág. 15; G. Diego, *«Pasión de la Tierra»,* en *Corcel,* Pliegos de poesía, núms. 5-6, Valencia, 1944; R. Gullón, «Vicente Aleixandre: *«Pasión de la Tierra»,* en *Proel,* núm. 3, Santander, 1946. Para la lectura de estas reseñas, véanse págs. 187-198.
[6] R. Gullón, *op. cit.,* pág. 128.

los libros cronológicamente posteriores. Es el propio Ricardo Gullón, a quien debemos algunas notas iluminadoras sobre la convulsiva materia del libro, quien confiesa cándidamente: «No es fácil olvidar la emoción de un primer contacto con *Sombra del Paraíso,* con *La Destrucción o el Amor.* Y ahora, sobre esta imagen de poesía en albor, involuntariamente tiendo a reconocer los rasgos de la que después ha sido una certísima plenitud»[7].

En breve, debemos llegar a los años 70 —si bien entretanto surge la amplia y fundamental exégesis de Carlos Bousoño sobre la obra aleixandrina[8]— para encontrar las primeras tentativas de análisis sistemático en torno a la colección de poemas[9], coronadas, en 1976, por la edición de Luis Antonio de Villena (Madrid, Narcea), que comprende un orgánico estudio introductorio y una rica documentación que aporta nuevos datos, tales como algunos poemas olvidados y publicados en viejas revistas de la época[10]. El interés consciente y general de la crítica referido a *Pasión de la Tierra* se remonta, pues, a este último decenio.

---

[7] *Ibíd.,* pág. 127.

[8] C. Bousoño, *La poesía de Vicente Aleixandre,* Madrid, Ínsula, 1950 (después en la Ed. Gredos). En esta edición Bousoño no se detiene en la lectura de *Pasión de la Tierra,* a la cual, en cambio, dedicará un interés creciente en las ediciones sucesivas del libro y, sobre todo, en sus últimos trabajos dedicados al movimiento irracionalista, que citaré más adelante.

[9] En particular, señalo el cap. «*Pasión de la Tierra:* prima incursione nel surreale» de D. Puccini (*La parola poetica di Vicente Aleixandre,* Roma, Bulzoni, 1971; trad. esp. *La palabra poética de Vicente Aleixandre,* Barcelona, Ariel, 1979; que anticipa algunas líneas de lectura, confirmadas después por trabajos sucesivos.

[10] Son los poemas «Superficie del cansancio», «Reconocimiento», «Lino en el soplo» y «Los naipes usados» (este último es rehusado por el autor y puesto en el *Apéndice* del libro), que aparecen antes en *Cuadernos Hispanoamericanos,* núm. 233, mayo de 1969, y luego en la antología aleixandrina *Poesía superrealista. Antología,* Barcelona, Barral Editores, 1971.

18

1.3 Otras razones que intentan explicar el olvido o la tardía comprensión de la obra vienen señaladas por L. A. de Villena dentro del clima histórico-cultural de la vida española en el momento de la aparición de la edición mejicana de 1935; en ese año, la experiencia surrealista no constituye una novedad en absoluto, mientras se advierten con creciente preocupación los avisos anunciadores de una polarización ideológica, que después estallarían en la guerra civil. Asimismo, en 1946, cuando el libro completo se edita en España, la cultura del país se muestra, por una parte, orientada hacia una problemática real-socialista, por otra está atenta a una poética de ensimismamiento que prefiere los temas cristianos del intimismo religioso y familiar.

Por lo tanto, concluye el crítico, se comprende cómo la obra juvenil de Aleixandre, caracterizada por la audacia de las metáforas surrealistas y por la oscuridad de una escritura alógica, no fue objeto de la debida consideración, resultando de difícil acceso al gran público de lectores españoles.

A estas argumentaciones, todas válidas y a su modo todas discutibles, hay que añadir la actitud adoptada por el autor, que revela un curioso estado de incertidumbre, visible tanto en la falta de determinación por dar a la imprenta el libro, anteponiendo otras colecciones cronológicamente posteriores, cuanto en la continua intervención realizada sobre el título de la obra y de los poemas en prosa, encaminada a favorecer una mayor legibilidad del texto[11]. El autor, en el

---

[11] La intencionalidad se desprende no sólo por la diversa denominación de la obra en el tiempo (*La evasión hacia el fondo*, 1929; *Hombre de Tierra*, 1932 —cuyo título sigue permaneciendo hasta 1934, como se deduce de una entrevista del autor [«El poeta nos habla de su obra premiada», en *Heraldo de Madrid*, 2 de enero de 1934]— y, por último, *Pasión de la Tierra*, 1935), sino sobre todo por el proceso de mutación o permu-

primero como en el segundo caso, manifiesta una forma de autocensura que contrasta con el sentido profundo de la obra, terminando por comprometer implícitamente la difusión del libro. Es el mismo Aleixandre quien proporciona las razones que le han inducido a tal comportamiento: razones que explican y reconstruyen la fatigosa génesis y la historia externa del libro. Escribe el poeta en la nota introductoria a la edición Adonais de 1946[12]:

> Este libro de poemas en prosa fue escrito hace dieciocho años, en 1928-29, y es la segunda obra del poeta, situada cronológicamente entre *Ámbito,* compuesto en 1924-27 (edición de 1928), y *Espadas como Labios,* compuesto en 1930-31 (edición de 1932).
>
> Pudo aparecer al público cuando se terminó. En 1929 lo anunció una editorial, con su primitivo título: *La evasión hacia el fondo.* La resonante quiebra de C. I. A. P. (resonante en las letras del tiempo) detuvo entonces su natural nacimiento a la luz.
>
> ¿Después? Siempre el poeta tiende a publicar su libro cuando aún se siente vitalmente ligado a él, no roto todavía ese delicado cordón que no se quiebra exactamente en el momento de escribir la última palabra de su obra. En 1932 la nueva posibilidad editorial del poeta ya le cogió con un libro trémulo de

---

ta que afecta a los títulos de muchos poemas del libro, donde se percibe la voluntad de un esclarecimiento del texto. De todos modos, he aquí los títulos con sus denominaciones originales entre paréntesis: «La muerte o antesala de consulta» («Antesala de consulta»), «El silencio» («La noche bajo los ojos»), «Ropa y serpiente» («Huella de primavera»), «La forma y no el infinito» («Tino sin lágrima»), «Reconocimiento» («Renacimiento»), «Lino en el soplo» («Los naipes usados»), «Fuga a caballo» («Vecindad de un perfume»), «Hacia el amor sin destino» («Hacia el mar sin destino»), «El mundo está bien hecho» («El día está entre los helechos»), «El alma bajo el agua» («En el fondo navegan los instantes»), «Hacia el azul» («La velocidad es quererte»).

[12] Cito de Vicente Aleixandre. *Obras Completas* (en adelante, *O. C.),* Madrid, Aguilar, 1968, págs. 1446-47.

su inmediata vida: *Espadas como Labios. La evasión hacia el fondo,* que ya entonces se llamaba *Hombre de Tierra* (en *Espadas como Labios* está anunciado así), quedó pospuesto. Después fue la edición de *La Destrucción o el Amor.* En España, por un azar, siempre había un libro nuevo del poeta a cada coyuntura editorial. *Pasión de la Tierra,* que ya se titulaba así en su primera cuartilla, cruzó el Atlántico en 1934 y al año siguiente apareció en Méjico, impreso por amigos inolvidables en cuidadosa edición limitada, para no volver a atravesar el océano más que en unos pocos ejemplares de autor, a modo de visita ultramarina. Era un libro que había querido nacer americano y americano se quedaba.

Aleixandre pasa luego a ilustrar el significado profundo representado por la experiencia creativa de *Pasión de la Tierra,* juzgando su lenguaje demasiado difícil, «incomunicable» para la mayoría de los lectores. Él argumenta[13]:

> El más extremado y difícil de mis libros no puede hablar, por razones de forma, más que a limitados grupos de lectores, ay, «preparados», aunque, eso sí, a cada hombre que lo acepte o lo sienta le palpite, total o fragmentariamente, con nitidez o como borroso roce agitador, en zona radical y primaria, donde reside el vagido de la vida, allí donde cada hombre, viendo a su semejante, puede confesar que nada de lo humano le es ajeno.

Emergen con claridad los motivos reales y personales que han contribuido a retrasar la definitiva afirmación de la obra: causas contingentes, pero también una reserva mental respecto a la materia, en particular a su forma considerada de difícil acceso para el pú-

---

[13] *Ibíd.,* pág. 1450.

blico. Aleixandre expresa naturalmente un juicio *a posteriori*, derivado de experiencias sucesivas, el cual tiene en cuenta una distinta colocación crítica e histórica de la obra; de todos modos, eso explica el condicionamiento (externo e interno) que ha marcado el difícil camino editorial del libro y, al menos en parte, ayuda a comprender el retraso con que hoy llega a nosotros en su edición definitiva.

Estado actual y «definitivo» del libro

2.0   Con el adjetivo «definitivo» entre comillas, aludo a una serie de dudas que aún quedan pendientes sobre la composición del libro y, en particular, sobre la fecha de algunos poemas aparecidos con posterioridad. Para aclararlas o, simplemente, exponerlas como problemática de debate crítico, me veo obligado a acudir a algunos datos de mi relación personal con Aleixandre, con quien preparé la edición italiana de *Pasión de la Tierra* (1984). En ésta, el autor modificó el orden de distribución de los apartados y de los poemas del libro, añadiendo una nota de presentación *(Saludos a unos lectores italianos)*[14], que constituye el elocuente testimonio de un cambio de juicio en ósmosis con la aumentada permeabilidad del lector hacia la obra. Pero, aparte de la distinta disposición del material poético, quedaba una serie de perplejidades sobre el proceso de gradual ampliación del libro (varias etapas editoriales y distintos momentos de creación del texto), así como sobre el evidente intento retrospectivo del poeta —aún visible en la con-

---

[14] El texto, que Aleixandre reelaboró varias veces aportando leves variaciones de carácter estilístico, se puede leer en la pág. 184.

versión de muchos títulos— de hacer accesible la lectura de la obra.

A la luz de los cinco poemas olvidados y recuperados por los hispanistas Brian Nield y Terence MacMullan[15] —el quinto poema, «Este rostro borrado», se incorpora hoy por primera vez en el *Apéndice* del texto— yo me iba preguntando, y preguntaba al poeta, las razones de las precedentes exclusiones o retardos en la publicación de algunos poemas dentro del *corpus* del libro, del cual Aleixandre tenía una concepción absoluta, considerándolo «un verdadero organismo cerrado».

La respuesta a estas y otras preguntas, procedentes de un rico y variado cuestionario crítico, fueron aplazadas por el poeta a un programado y próximo encuentro madrileño, que desgraciadamente nunca pudo realizarse, ya que llegué a su casa —y es crónica de aquellos días[16]— pocas horas después de que una hemorragia intestinal llevase al poeta a su inesperado fallecimiento. En su casa —«la casa de la amistad y la poesía», dirá más tarde Francisco Brines—, sobre la mesa en penumbra de la sala, quedó abierto el libro de *Pasión de la Tierra* preparado para nuestro encuentro. Y ahora me pregunto: ¿es posible sustituir al poeta en las respuestas a estas dudas que esperan una posible solución?

2.1 Muy oportunamente, el joven poeta y crítico Alejandro Duque Amusco, a quien debemos tantos aciertos y aportaciones sobre la obra aleixandrina, me dirigía una carta pública[17] en la que exponía sus conjeturas en torno al proceso de escritura y a la historia

[15] Cfr. nota 10.

[16] Véase la crónica de *El País,* 16 de diciembre de 1984, pág. 39.

[17] «Carta a Gabriele Morelli: Sospechas y evidencias», en *Ínsula,* números 458-59, 1985, págs. 7-8.

editorial del libro. Resumo aquí los puntos examinados por Amusco concernientes a los títulos, a los textos olvidados y, en particular, a la fecha de composición de los poemas sucesivos a la edición mejicana.

En concreto Amusco hace notar cómo, en la *Antología* de Gerardo Diego *(Poesía española. Antología 1915-1931,* Madrid, Ed. Signo, 1932, pág. 402) hay indicios interesantes relativos a los datos bibliográficos aleixandrinos, que dicen textualmente[18]:

> *Ámbito* (poesías), Málaga, 1928 [se seleccionan siete poemas]. Este es el único libro publicado por Aleixandre [...]. Ha escrito además los siguientes libros de poesía, aún inéditos:
> *Espadas como Labios* (1928-1929) [no se recoge de este libro ningún poema].
> *Cantando en las Carolinas* (1930-1931) [se publican seis poemas, entre ellos «El Vals», todos pertenecientes a *Espadas como Labios*].

Ahora bien, si consideramos que del anunciado *Espadas como Labios* no aparece ningún poema, mientras que el mencionado *Cantando en las Carolinas* (título de un fox de la época) presenta únicamente los seis poemas de *Espadas como Labios,* es fácil deducir que con esta última denominación Aleixandre se refería al libro en prosa *Pasión de la Tierra,* lo que explica su exclusión de la antología de textos poéticos.

Otro punto tocado por Amusco es la dudosa fecha de composición de los siete poemas (otros cinco serán recuperados más tarde) incluidos en la edición Adonais de 1946 y escritos, según el crítico, en época

---

[18] Utilizo la edición original, ya que —como justamente me hace notar Amusco— la edición de Taurus (Madrid, 1968), no respetando sus declaraciones iniciales, omite la parte relativa a la bibliografía aleixandrina que cito.

posterior. En este sentido, apunta Amusco: «La razón de que poemas memorables como "La muerte o antesala de consulta" (recogidos también por él [Aleixandre] en *Mis Poemas Mejores*) no figurasen en 1935, siendo Aleixandre tan selectivo y exigente a la hora de organizar un libro suyo, es que muy probablemente no estaban escritos aún por esa fecha. El libro debió ser concluido realmente entre su primera y segunda edición.»

Las estimulantes observaciones de Amusco se basan en las siguientes consideraciones: 1) La publicación por Aleixandre en la revista *Verso y Prosa* (número 12, Murcia, octubre de 1928) de la prosa lírica «Mundo poético»: una especie de manifiesto de arte puro y, por lo tanto, en aparente contradicción con la experiencia paralela de *Pasión de la Tierra,* abierta a una inédita aventura surrealista; 2) La declaración de Aleixandre sobre la no aparición del libro ya anunciado, como consecuencia de la quiebra de la editorial C.I.A.P., lo cual, según demuestra Amusco, no corresponde con la realidad, ya que esta editorial siguió publicando hasta el año 1931.

En relación con este último punto, hago notar que me parece normal que una casa editorial, después de su quiebra, continúe durante un par de años con sus publicaciones, debidas a anteriores compromisos. En cambio, por lo que concierne al segundo punto, es importante subrayar que el año 1928 fue una fecha fundamental de debate teórico nacional[19] y, sobre todo,

---

[19] Es suficiente recordar cómo, tras el acto de la celebración del III Centenario de Góngora (1927), la polémica entre defensores y adversarios de la adhesión gongorina sigue siendo apasionada durante el año 1928, como documentan las páginas de las revistas de la época: *La Gaceta Literaria, La Revista de Occidente,* y, sobre todo, *Carmen* y *Lola.* En estas últimas, además del homenaje dedicado a Fray Luis de León, indicativo de una clara tendencia literaria, se puede leer de Gerardo Diego la «Defensa de la poesía», y su «Réplica» (a la «Carta de Marichalar»);

de crisis y maduración artística del poeta; y, por lo tanto, no debe extrañar si en el arco de su tiempo coexisten momentos aparentemente contradictorios. En efecto, si observamos atentamente, tal evidente dualismo aparece en la misma página del citado artículo, donde a los innegables pasajes de afirmación del arte puro, justamente relevados por Amusco («Tu mundo es geometría, poeta [...]. Es una embriaguez de serenidad, de conciencia, de intuida visión, de estado»), se contrapone el énfasis del lenguaje neobarroco que imita la expresión juanramoniana, anticipando en algunos momentos el incierto fragmentarismo de *Pasión de la Tierra*. Cito algunos ejemplos: «La luz quizás no sale del fondo. Es posible que no. Parece como que todas las cosas tienen luz en ellas y ellas se dan su aurora y su poniente. Su noche. De día ellas nacen. No nace el día. Nacen las cosas», etc. La contradicción parece insinuarse incluso en la frase final del poeta, que invita a abandonarse al sueño, a la fantasía, a una vida concebida como antídoto contra la fría racionalidad de la conciencia: «Poeta, sácanos de tu mundo. Clausura tu cristal transparente. Abate sus paredes tan justas. Vuélvete al sueño —a la vida— después de este despertar tan alerta en que nos has tenido sumidos.»

La confirmación se encuentra en el ejemplo de la misma página de la revista, en la cual, junto al artículo de Aleixandre, aparece otro de Sebastián Gasch en defensa de los valores humanos representados por el cubismo: «Hoy, recreada la pintura —afirma el conocido crítico de vanguardia—, los sucesores del cubismo han humanizado ya la primitiva abstracción con alusiones más o menos directas a la realidad.

respectivamente, en *Carmen,* núm. 5, Madrid, abril de 1928, y en *Lola,* núms. 3-5, Madrid, marzo de 1928.

Y el cubismo tiene un valor inmenso de reacción y de tránsito que nadie se atreve ya a regatearle.»

Por último, son las esclarecedoras palabras de Gerardo Diego, las que, a mi parecer, plantean y resuelven la problemática de manera convincente y definitiva. El poeta, recordando el momento de la lectura de los poemas aún inéditos de *Pasión de la Tierra*, escribe [20]:

> Estamos en 1928. Aleixandre ha publicado su primer libro, ya magistral, *Ámbito*, y trabaja en nuevos poemas en verso, de forma clásica y contenido simbólico, ontológico, apretado. A requerición mía, ofrece como homenaje a Fray Luis su soberano soneto, gala del número extraordinario de *Carmen*. Se halla el poeta en vísperas de una profunda crisis humana y estética. ¿Vísperas? Yo no sé si había ya comenzado o al menos entrevisto su etapa de *Espadas como Labios*. Pero estos poemas en prosa le descubren, descubren los secretos de su alma apasionada y luchadora. Nada más revelador que el contraste, la aparente contradicción entre sus sonetos, sus romances, sus poemas tan construidos e intelectuales en verso [...], y estos poemas de *Pasión de la Tierra*, tan derramados, tan sin límites, tan entregados voluntariamente a los oscuros instintos.

En fin, se puede concluir diciendo que las observaciones de Amusco sobre el supuesto título anterior de la obra *Espadas como Labios* son pertinentes y dan perfectamente en el blanco. Igualmente tiene razón Amusco cuando ve en el proceso de mutación y permuta que afecta a numerosos títulos del libro un simple acto de carácter deíctico (a veces de orden fonemático), o más bien un intento de clarificación del texto. En cambio, no convence su idea relativa a los poe-

---

[20] G. Diego, *op. cit.*, pág. 81.

mas no incorporados en la edición Fábula (1935), en cuanto considerados como tardíos y posteriores a esa época, siendo al contrario el resultado de una voluntaria eliminación por parte del poeta: el cual, sólo en un segundo momento, volvería a integrarlos en el texto completo.

Confirma nuestra tesis —que es la del autor— la autoridad de Gerardo Diego, intermediario y promotor de la edición mejicana, quien dice: «[...] el poeta, por no querer ser molesto para el generoso editor que componía él mismo tipográficamente el libro, [lo] redujo a moderadas proporciones». Diego, al confesar haber leído el libro completo todavía inédito, añade: «antes [de la edición mejicana] había disfrutado algún tiempo de esos veintiún poemas [en realidad son diecisiete] de *Pasión de la Tierra* y otros tantos por lo menos que componían el libro grande [...] porque su calidad era tan alta como la de los elegidos»[21]. Queda claro que Gerardo Diego está hablando de un texto más amplio —quizás completo— del existente en la edición mejicana de 1935.

Lo que sí me inclino a creer es que algunos de los siete poemas agregados en la edición Adonais (1946) —como por ejemplo «El solitario», aparecido en 1933 en la revista *Los Cuatro Vientos*, «La muerte o ante-

---

[21] *Ibíd.* Además, existe el testimonio importante de Dámaso Alonso, que confirma el año 1928 como fecha de composición del libro. Escribe el ilustre crítico, amigo del poeta: «[*Pasión de la Tierra*] hermoso libro (aún inédito) de poemas en prosa pero de inspiración y procedimientos análogos a los de *Espadas como Labios*, fue escrito en su mayor parte en 1928 (y yo leí bastantes de esos poemas en el verano de 1929). *Espadas como Labios* fue comenzado en el verano de 1929» («Notas a *Espadas como Labios*, por V. A.», en *Revista de Occidente*, núm. CXIV, diciembre de 1932). Pero la composición de *Espadas como Labios* es del año 1930 o, más bien, del año siguiente, según ha declarado el propio Aleixandre («Es posible que algún poema fuera de 1929, pero el grueso del libro se escribió en 1930-31»); véase: J. L. Cano, «Introducción», en *Espadas como Labios* [...], Madrid, Castalia, 1972, pág. 21, nota 16.

sala de consulta» o «Ser de esperanza y lluvia»— pueden haber sido escritos uno o dos años después (en 1930-31) del cierre del libro. Una fecha demasiado tardía, posterior a 1935, tal y como opina Amusco, supondría aceptar la posibilidad de que una escritura en prosa, tan explosiva y radical como la de *Pasión de la Tierra,* fuese posterior a la experiencia poética, de gusto y temática más pulida, propuesta por *Espadas como Labios* y la *Destrucción o el Amor,* libros aparecidos, respectivamente, en 1932 y 1935. Es posible que Gerardo Diego se equivocase al recordar, después de muchos años, la lectura de este libro inédito de Aleixandre, exagerando el número —21— de los poemas no incorporados a la edición mejicana de 1935, que en realidad no podían ser más de doce (siete son añadidos en la edición Adonais de 1946 y cinco, recuperados sucesivamente). A menos que se quiera considerar la hipótesis, poco probable, de una distinta y más amplia colección de poemas, de la cual Aleixandre no tiene recuerdo y por eso no menciona en sus *Prólogos* de las varias ediciones del libro.

Como se ve, de cualquier modo que se considere la compleja problemática relativa a la génesis y a la cronología compositiva de la obra, nada queda más incierto y provisional que el título definitivo con que se abre este capítulo referente al estado actual de la obra.

Las fuentes literarias

3.0   A este propósito, y en relación con la posibilidad de explicar la particular experiencia lingüística de *Pasión de la Tierra* como expresión de una continuidad estilística, indicada por Bousoño[22] en el pro-

---

[22] C. Bousoño, *op. cit.,* cap. XXX: «Fuentes e influjo en la poesía aleixandrina», pág. 445.

ceso moderno de actualización de la tradición visionaria (San Juan de la Cruz, Fray Luis de León, Bécquer), como en la adhesión de muchos poetas a la nueva estética europea (Lautréamont, Rimbaud, Baudelaire, Freud y Joyce), me parece importante señalar la huella dejada por éstos en el libro aleixandrino, a fin de evidenciar —en los casos consentidos por la proximidad de los textos— la incierta línea que une la experiencia de *Pasión de la Tierra* a la producción de la vanguardia europea y española (en este último caso no hay que olvidar la importancia ejercida por la obra de Ramón Gómez de la Serna[23]).

Como el lector verá más adelante, la poca consistencia de los precedentes que podemos hallar en la obra (con excepción de la declarada lectura de *Les Chants de Maldoror*) y, sobre todo, la vaguedad de sus

---

[23] Aparece evidente la influencia de la «greguería» ramoniana, cuyo poder constructivo (y corrosivo) se advierte en numerosos pasajes del libro («Un bostezo que aspira a la nariz divina», «Con la mano caliente he estrujado tu corazón», «Tu pecho sube, tu pecho baja y hay un excedente de ácido carbónico», «Los peces podridos no son una naturaleza muerta», etcétera), e incluso, en toda la obra posterior de Aleixandre (de esto me informa el profesor Ricardo Senabre Sempere, quien acaba de dirigir una tesis que documenta ampliamente la huella de Ramón Gómez de la Serna en la poesía aleixandrina). Claudio Rodríguez es el único en haber señalado la presencia de la greguería ramoniana en Aleixandre, ofreciendo algunos ejemplos significativos limitados al tema de la fauna («unas faldas largas hechas de colas de cocodrilos», «unas lenguas o unas sonrisas hechas con caparazones de cangrejos» —los dos ya mencionados por Gómez de la Serna («Gerardo Diego y Vicente Aleixandre», en *Revista Nacional de Cultura*, núm. 104, mayo-junio de 1954, Caracas, pág. 25—, y aún «echaron de menos al pez, al entero pez de lata que tan graciosamente ladraba preguntas»; véase «Algunos comentarios [...]», en *Ínsula*, núms. 374-75, enero-febrero de 1978, pág. 17). El propio Aleixandre, así como hizo Cernuda [«Ramón Gómez de la Serna (1833-1963)», en *Estudios sobre poesía española contemporánea*, Madrid, Guadarrama, 1970, 2.ª ed., págs. 131-4, y en *Poesía y Literatura*, II, Barcelona, Seix Barral, 1964, págs. 259-62], ha reconocido la influencia ejercida en los poetas de la Generación del 27 por Gómez de la Serna, a quien considera «precursor de la literatura de imaginación»; cfr. J. L. Cano, *Los cuadernos de Velintonia. Conversaciones con Vicente Aleixandre*, Barcelona, Seix Barral, 1986, págs. 257-58.

referencias, confirman de una manera evidente que se trata de elementos epidérmicos y marginales al acto de creación afirmado por Aleixandre. Es suficiente por esto analizar un poema del texto aleixandrino, «La muerte o antesala de consulta», para comprobar cómo las dos fuentes señaladas —la composición de Álvarez Serrano titulada «La preconsulta del Dr. Wollman» y la pieza azoriniana *Doctor Death: de 3 a 5*— no son más que simples antecedentes temáticos, que no dejan ninguna influencia específica en la visión surreal propuesta por Aleixandre. Esta observación preliminar se puede extender a todas las fuentes literarias presentes en el libro del autor. Es decir, incluso para esta experiencia de *Pasión de la Tierra,* me parece pertinente el juicio expresado por Bousoño sobre la poesía de Aleixandre, que dice[24]:

> Los influjos que he visto en la poesía de Aleixandre son relativamente escasos, pues prescindo de todas aquellas notas, por supuesto numerosísimas, que en Aleixandre son consecuencia de su inmersión en el ámbito general de la poesía contemporánea, y en particular de su misma generación.

Por otra parte el poeta, siempre contrario a toda forma de clasificación que lo encasille en el movimiento surrealista y, más aún, lo ponga en relación con la escritura automática, ha negado su directa vinculación a los representantes de los ismos europeos. Como igualmente ha negado la influencia ejercida por algunas lecturas españolas, por ejemplo el citado libro *La flor de California* de José María Hinojosa, o los poemas de Larrea aparecidos en *Carmen;* en fin, ha rehusado, como ajena al carácter de su poesía, la presencia de la imagen creacionista afirmada por Vicen-

---

[24] C. Bousoño, *op. cit.,* pág. 445.

te Huidobro: autores éstos, y textos, directamente implicados en el proceso de comparación con la colección de poemas en prosa de Aleixandre. Por esta razón, me parece útil dar a conocer algunas recientes declaraciones del poeta (otras se pueden leer en los *Prólogos* a las varias ediciones del libro, pág. 177) que pretenden responder a los sostenedores de la tesis de la dependencia de su poesía de la escritura automática, visible sobre todo en la experiencia de *Pasión de la Tierra*.

En efecto, a una acertada pregunta de José Luis Cano sobre sus primeros contactos con la poesía surrealista, Aleixandre contesta revelando una cantidad de datos —algunos conocidos— que documentan la coherencia de su actitud crítica en el proceso de creación poética. José Luis Cano resume de esta manera las palabras de Aleixandre oídas durante una serie de encuentros debidos a su larga y ejemplar amistad con el poeta[25]:

> Primero: Que en 1929 [él, Aleixandre] empezó a escribir *Pasión de la Tierra* [en realidad empieza en 1928], bajo la influencia de los maestros del surrealismo: Lautréamont, Rimbaud —concretamente *Les Illuminations*—, Joyce, Freud. Segundo: Que teniendo ya bastante avanzado el libro comenzó a leer a los surrealistas franceses —Breton, Aragon, Eluard y otros—, cuyos libros los pedía al librero Sánchez Cuesta [...]. Tercero: Que los poemas de Larrea que había leído en *Carmen,* la revista de Gerardo Diego, no influyeron para nada en él. Y cuarto: Que Federico no había leído a los surrealistas franceses, y que sus primeros poemas surrealistas son los que escribió en Estados Unidos, en 1929-1930. «El clima surrealista —como ha dicho Dámaso— estaba en el aire, y era inevitable que nos contagiáramos todos.

[25] J. L. Cano, *op. cit.,* 16 de mayo de 1974, pág. 210.

Pero nunca seguimos la técnica de la escritura automática, y tanto Federico como yo escribíamos siempre con la conciencia creadora despierta y no con el automatismo de los poetas franceses.»

En otra ocasión, a propósito de la tesis sostenida por Vicente Granados[26] —según la cual la poesía de Aleixandre reflejaría la lectura de Larrea, Cernuda e Hinojosa— responde el poeta[27]:

Ninguno de los tres me influyeron. De Larrea leí sólo unos poemas suyos en la revista *Carmen,* que no me parecieron malos pero tampoco buenos. Recuerdo que no les presté el menor interés, y que resbalaron sobre mí. En cuanto a Cernuda, ni él influyó en mí ni yo sobre él. Los dos teníamos nuestro propio estilo surrealista, que no se parecía en nada. Por lo que respecta a Hinojosa, resulta ridículo decir que pudo influir en mí, pues como tú dices en tu artículo, los poetas del 27 nunca lo tomamos demasiado en serio como poeta[28].

Igualmente, a la pregunta de si conoció a Huidobro y si su imagen creacionista pudo influir en su poesía, Aleixandre contesta de esta manera categórica[29]:

---

[26] V. Granados, *La poesía de Vicente Aleixandre (Formación y evolución)*, Málaga, Planeta, 1977; en particular, el cap. IV: «El surrealismo de V. Aleixandre».

[27] J. L. Cano, *op. cit.,* 12 de junio de 1979, págs. 249-50.

[28] Sobre la actitud (y la poca estimación) mostrada por el grupo generacional hacia la persona y la obra de José María Hinojosa, Manuel Altolaguirre, en su libro *El caballo griego (Obras Completas,* I, Madrid, Bella Bellatris, Istmo, 1986, págs. 54-55), refiere que el poeta malagueño era apodado el «ya está» (por la costumbre de terminar sus poemas con esta expresión), o aun «la colodra carpetovetónica», según el neologismo creado por García Lorca. Además, véase la letrilla satírica contra Hinojosa, aparecida en *Lola* (núm. 2, enero de 1928), titulada «Serranilla de la Jinopepa», que empieza con esta estrofa: «Musa tan fachosa / no vi en la Poesía / como la Hinojosa / de José María.»

[29] J. L. Cano, *op. cit.,* pág. 250.

No hubo ninguna influencia de su poesía en la mía. Pero nos conocimos. Primero nos cruzamos cartas y libros, y recuerdo que le envié *Espadas como Labios,* y posteriormente, hacia 1932, vino a Madrid y estuvo a verme, y elogió mi poesía. Le había impresionado mucho, me dijo, mi poema «El Vals». Me di cuenta de que Huidobro quería que fuésemos amigos, quizá para arrastrarme al movimiento creacionista que él acaudillaba, y separarme de los poetas de mi generación, a los que puso verdes, sobre todo a Federico, pero yo reaccioné elogiando con entusiasmo el *Romancero gitano.* Salvó sólo a Gerardo, porque era creacionista como él. La verdad es que Huidobro, su poesía, me interesó muy poco, pues me atraía mucho más el surrealismo.

En efecto, en otra entrevista (que evidencia su carácter de oralidad), Aleixandre declara[30]:

> Yo te puedo decir que, antes de conocer el surrealismo francés, conocí a los maestros de los surrealistas franceses. Conocí a Lautréamont. Los *Cantos de Maldoror* es un libro que los surrealistas tienen como un importante punto de referencia. Mis maestros fueron Lautréamont, Rimbaud, y un maestro en prosa de tipo irracionalista que es Joyce: mis primeros maestros en la nueva vía de mi poesía después de *Ámbito* [...]. Cuando estaba empezando a escribir *Pasión de la Tierra,* que escribí bajo la influencia de estos maestros, o, si quieres decirlo, por enseñanza de estos maestros, y en la forma incluso por Lautréamont y Rimbaud, que escribieron en prosa [...].

3.1   En realidad, limitándonos a considerar la admitida lectura ducassiana de *Les Chants de Maldoror,* ya podemos ver su primera huella en la imagen aná-

[30] G. Depretis, «I riflessi dei *Chants de Maldoror* nella figuratività di *Pasión de la Tierra*», en *Studia Historica et Philologica in Honorem M. Batlori,* Roma, Instituto Español de Cultura, 1984, pág. 621.

loga de protesta vitalista, denunciada en el libro aleixandrino por la general exaltación de los sentidos y
los instintos más salvajes. En particular, se advierte
la presencia de una idéntica operación de trasmuta-
ción de los elementos teológicos y sentimentales en
biológicos y corporales, capaces de expresar, y representar, la visión de un mundo primordial y regresivo:
mundo del subconsciente y de lo elemental donde la
idea vuelve a ser instinto, naturaleza, animalidad.
Además, la influencia de *Les Chants de Maldoror* se
observa en el mismo tratamiento del material lingüístico: que es sometido a un proceso visionario y antro-
pomórfico, en el cual las formas fluyen, se deshacen,
viven de una manera espontánea y autónoma[31], dando lugar a continuos actos de metamorfosis, de creación, de vida. La imagen de emocionante espectacula-
ridad que estos cambios producen está relacionada con
la capacidad del lector de penetrar en este mundo primordial, acuático, intraterrestre, donde todo está al alcance de la mano y de la palabra. Ésta, la palabra, res-
tituida a su poder imaginativo, inventa un universo
concebido como resultado de un acto continuo de creación:

> Yo tengo un brazo muy largo, precisamente re-
> dondo, que me llega hasta el cuello, me da siete vuel-
> tas y surte luego ignorando de dónde viene, recién na-
> cido, presto a cazar pájaros incogibles («Del engaño
> y renuncia»).

---

[31] En general, sobre el motivo heracliteo del fluir, véase más adelante
la nota 57. En cuanto al tema específico del «deshacerse», típico de la concepción poética aleixandrina, señalo una serie de expresiones presentes
en el libro; por ejemplo: «las paredes delicuescentes casi se deshacían en
vaho» («La muerte o antesala de consulta»); «aunque te deshagas como
un helado» (Ídem); «deshacerse en siete mariposas» («Ropa y serpiente»); «que pueda yo [...] deshacerme» (Ídem); «deshaciéndome como un
saludo incomprendido» («La forma y no el infinito»); «Donde las flechas
se deshacen» («El mundo está bien hecho»).

Animales, plantas, el mundo intramarino y terrestre hecho de mutilaciones e intercambios recíprocos, participan con entusiasmo y violencia en el esfuerzo de realizar la imagen de un hombre enteramente restituido a la función primaria de la vida elemental. En este sentido, los préstamos de *Les Chants* y, tras su huella, de la obra en prosa de Baudelaire, Rimbaud y Joyce, se hacen visibles en el mismo empleo de la lengua concebida como valor de conocimiento; es decir, como posibilidad de experimentar nuevas formas, nuevas situaciones, en las cuales el yo del poeta se objetiviza, se desploma, se autocontempla en un intento conmovedor de afirmación y definición.

Varios críticos han señalado, con mayor o menor acierto, el vínculo directo que une la experiencia lingüística de *Pasión de la Tierra* con *Les Chants* ducassianos[32]. Además, Giancarlo Depretis[33] ha ofrecido una muestra comparativa de pasajes reveladores de los puntos de contacto entre las dos obras. En el nivel temático, por ejemplo, se puede observar la presencia común del símbolo de la serpiente, que en el libro de Lautréamont —según ya apuntaba Bachelard— expresa la dialéctica del principio vida-muerte, entendida como forma de continuidad y no como motivo antagónico característico de la lógica platónica. El mismo concepto dualístico, que abarca el polo positivo y el polo negativo como expresiones de una unidad indisoluble, lo hallamos en la análoga evocación de un bestiario de tipo simbólico y figurativo. Por

---

[32] Entre los más interesantes, señalo: J. A. Valente («El poder de la serpiente», *Las palabras de la tribu,* Madrid, Siglo XXI, 1971, páginas 174-75); Y. Novo Villaverde *(Vicente Aleixandre. Poeta surrealista,* Universidad de Santiago de Compostela, 1980, págs. 86-87); L. A. de Villena («Introducción», en *Vicente Aleixandre. Pasión de la Tierra,* Estudios, notas y comentarios de textos, Madrid, Narcea, 1976, pág. 71) y V. Granados *(op. cit.,* pág. 132).

[33] G. Depretis, *op. cit.,* págs. 665-68.

ejemplo, en estos respectivos pasajes: «les loups et les agneaux ne se regardent pas avec des yeux doux» *(Les Chants,* II); «¡Oh muerte! ¡Oh amor del mal, del bien, del lobo o del cordero!» («Ropa y serpiente»).

Asimismo, el tema de la mutilación y de la violencia física —ya señalado por la crítica en términos generales— está presente en muchos poemas del libro aleixandrino, corfirmando el conocimiento profundo de *Les Chants* por parte de nuestro autor. En este sentido doy a continuación una serie de ejemplos concretos, que muestran la indudable proximidad de las distintas experiencias lingüísticas afirmadas por los dos textos:

Les Chants	*Pasión de la Tierra*
il a envoyé la foudre de manière à couper précisément mon visage en deux, à partir du front, endroit où la blessure a été le plus dangereouse (II);	una sirena verde del color de la Luna sacó su pecho herido, partido en dos como la boca [...] Le faltaba otro seno («Vida»);
une guirlande de camélias vivants! (III); il retire successivement les organes intérieurs (III);	Una rosa sentida, un pétalo de carne, colgaba de su cuello [...]; sus sangrientas entrañas que salpiquen *(Ídem);*
Alors, tu me déchireras, sans jamais t'arrêter, avec les dents et les ongles à la fois (I);	Seccióname con perfección y mis mitades vivíparas («El amor no es relieve»);
On doit laisser pousser ses ongles [...] d'enfoncer les ongles longs dans sa poitrine molle (I);	Aguza la calidad de tus uñas («Hacia el amor sin destino»); hacerle unas estrías con mis uñas («El solitario»);

mon corps manquant des jambes et des bras (I); le tronc pourri (II).

eres un tronco mutilado donde tu pensamiento falta [...] decapitado por el hacha («Fábula que no duele»).

Ils s'arracheront sans trêve de lambeaux et des lambeaux de clair; mais, la goutte de sang (II).

pechos desgarrados, pobre sangre cuajada («Del engaño y renuncia»).

He aquí otra muestra —que no pretende ser completa— de un vasto campo de referencias y analogías lingüístico-temáticas entre *Les Chants* y *Pasión de la Tierra*:

l'atmosphère d'une chambre respire le sang... (II); (Il me tombe une pluie de sang de mon vaste corps [...] (I);

paredes desangradas [...]; paredes delicuescentes («La muerte o antesala de consulta»); aluvión sanguinolento («El crimen imposible»);

le poing le plus robuste dirigé vers le ciel (I);

puedo extender mi brazo hasta tocar la delicia («Víspera de mí»);

Hélas qu'est-ce que donc le bien et le mal! (I);

¡Oh amor del mal, del bien («Ropa y serpiente»);

Qui que tu sois, excentrique python (I);

Pitón horrible, séme, que yo me sea en ti (*Ídem*);

deux larmes de plomb;

lágrima de mercurio que honrada («Hacia el amor sin destino»);

Al lado de la manifiesta influencia ejercida por Ducasse, hay que considerar la presencia, ya notada y negada por el poeta, de la obra *La flor de California*

(1926) del malagueño José María Hinojosa, exponente olvidado del pequeño grupo de sostenedores de la vanguardia francesa. El carácter específico de sus temas —como el del cuerpo herido, mutilado— y más aún la atmósfera surreal de sus imágenes sometidas a un inquietante proceso de deformación, dan a los poemas en prosa de *La flor de California* el mérito de haber facilitado quizás la permeabilidad de la lectura ducassiana en la obra de Aleixandre. Igualmente, dentro de esta temática simbólico-surreal, que afirma el motivo de la mutilación como producto de una visión alucinante de la realidad, hallan su colocación los *Poemas en Prosa* de F. García Lorca; tales como: «Santa Lucía y San Lázaro» (en *Revista de Occidente,* número 53, Madrid, noviembre de 1928); «La Degollación de los Inocentes» (en *La Gaceta Literaria,* núm. 50, Madrid, 15 de enero de 1929); «Suicidio en Alejandría» y «Nadadora Sumergida» (en *L'Amic de les Arts,* núm. 4, Sitges, 30 de·septiembre de 1928); y aún: «Amantes Asesinados por una Perdiz» (en *Homenaje a Maupassant,* Planas de Poesía XI, Las Palmas), «Degollación del Bautista» (en *Revista de Avance,* núm. 45, La Habana, 15 de abril de 1930); «La Gallina» (en *5,* Revista quincenal, núm. 3, Vitoria, mayo de 1934).

Siempre en el terreno nacional, con Hinojosa, García Lorca y Gómez de la Serna, hay que mencionar el nombre ya citado de Juan Larrea y, en particular, sus poemas aparecidos en *Carmen* (núms. 6 y 7, junio de 1928), titulados «Bella isla 10 de setiembre», «En la niebla», «Locura del Charleston», «No ser más» y «Diente por diente» (núm. 2, enero de 1928), donde el poeta experimenta el uso de la prosa poética en el intento de captar un mundo formado por imágenes inconexas; como en este ejemplo: «Cuando un piano suena cerca o lejos más que adelgazar nos valiera desprender en la tarde un fuerte olor a pájaro vivido»[34]. Lo que anticipa la conquista de un vacío semántico —estado cero de la conciencia— colmado por una superrealidad de carácter simbólico, que elige e impone lo *merveilleux,* lo irónico, lo humorístico-grotesco como elementos de una visión esencialmente negativa.

En la lista aproximativa de referencias literarias advertidas en la lengua de *Pasión de la Tierra,* también se sitúa la novedad representada por el libro *Sobre los ángeles* de Rafael Alberti. En particular, se nota la influencia ejercida por su lenguaje figurativo, capaz de traducir intensos estados anímicos, derivados de violentas crisis físicas y psíquicas; o de sugerir paisajes y momentos de incomparable belleza, memorias de un pasado lejano, que dejan una huella indirecta en los poemas en prosa de Aleixandre.

Confrontemos los siguientes versos de «Tercer recuerdo», pertenecientes al libro *Sobre los ángeles* (1927-28) de Alberti, con algunos fragmentos del poema «Fábula que no duele» de *Pasión de la Tierra:*

Aún los valses del cielo no habían desposado al jazmín y la nieve, / ni los aires pensado en la posible música de tus cabellos [...]. / Era la era en que la golondrina viajaba / sin nuestras iniciales en el pico. [...]. La era / en que al hombro de un ave no había flor que apoyara la cabeza.

(Sobre los ángeles)

Al encontrarse el pájaro con la flor se saludaron con el antiguo perfume que no es pluma pero que sonríe en redondo [...]. El pájaro sonreía ocultando la gracia de su pico, con todas las palpitaciones temblando en las puntas de sus alas [...]. Canta, pájaro sin fuego que tienes de nieve las plumas de tus dedos.

(Pasión de la Tierra)

---

[34] «Diente por diente», II.

Incluso en el nivel estilístico, podemos notar el análogo uso de la negación, presente en varias formas y distintos módulos gramaticales ('ni', 'sin', 'pero', etc.): ese «decir» negativo, entendido como metáfora de la ausencia que, como apunta Y. Novo Villaverde[35], tiende a subrayar con énfasis la tensión de un enunciado vacío de contenido pero rico en sugestión simbólica.

Por último, pero no por ello menos relevante, es oportuno señalar, en esta rica serie de sugerencias literarias, la presencia de la imagen ultraísta y creacionista, que denuncia —más allá del espesor lingüístico del texto— la aceptación de las nuevas ideas estéticas de vanguardia de parte del joven Aleixandre. No hace mucho tiempo, Alejandro Amusco, en un artículo titulado «Aleixandre, poeta ultraísta», ha revelado los tanteos experimentalistas del primer Aleixandre, dando a conocer un caligrama inédito que el poeta creía haber publicado en *Grecia* o en otra revista de la época[36]. Lo reproduzco por su peculiaridad e importancia documental (ver cuadro pág. sig.).

Lo cual explica muy bien cómo, dentro de la línea pulcra y formalista cultivada por Aleixandre (documentada en aquellos años por el citado artículo «Mundo poético», el «Álbum» de poemas inéditos conservado por Dámaso Alonso[37] y, naturalmente, el libro juvenil *Ámbito*), coexiste otra línea de carácter experimental, que prepara y en cierto modo explica la aventura lingüística realizada en *Pasión de la Tierra.*

---

[35] Y. Novo Villaverde, *op. cit.,* pág. 71.

[36] En *La Vanguardia,* Barcelona, 5 de febrero de 1985, pág. 41.

[37] D. Alonso (*Ínsula,* núm. 374-75, enero-febrero de 1978, y números 458-59, enero-febrero de 1985) dio a conocer algunos de estos poemas inéditos del *Álbum (1918-23).* Igualmente, A. Amusco (*El Ciervo,* núm. 419, Barcelona, enero de 1986, págs. 27-28) publicó algunos poemas perdidos del ciclo de *Ámbito* pertenecientes a la primera época.

A LA LUNA

—Sube a la luna y búscala.
—Eh!, aquél!, el del funicular!—

Todo estaba preparado.

                                        Ya estamos.

Subimos en el funicular.

Por aquí. Por allí. Esta. Aquella...
No estaba. No la encontramos.

Descendemos en el funicular. —No estaba.

He aquí una pequeña muestra de ejemplos de imágenes de sabor ultraísta (otros se pueden encontrar en las notas del texto):

> Una pompa de jabón, dos, tres, diez, veinte, rompen azules, vuelan qué lentas [...]. Estallan las preguntas, y bengalas muy frías resbalan sin respuesta («Ropa y serpiente»).

> No, no crezcas doblándote como una ballesta que atirante la interjección de los dientes ocultos [...]. Dé-

jame que me ría sencillamente lo mismo que un cuentakilómetros de alquiler («El solitario»).

¿Por qué aspiras tú, tú, y tú también, tú, la que ríes
con tu turbante en el tobillo, levantando la fábula de
metal («El mundo está bien hecho»).

mi cabeza quemada saldría en cohete («Hacia el
azul»).

E imágenes de vaga resonancia creacionista:

esa carne en lingotes («Vida»); El mundo llueve sus
cañas huecas («El amor no es relieve»); La puerta volaba sin plumas; el mar de cáscaras de naranja («La
muerte o antesala de consulta»); sentir en la piel
los mil besos de todas las campanas («Fulguración
del as»); olvidar la forma de su cuadrado estanque
(«El silencio»); Oh amor, ¿por qué no existes más
que en forma de trapecio? ¿Por qué toda la vacilación se convierte en dos rodillas columpiadas?
(«Ropa y serpiente»); Mi brazo es una expedición
en silencio («La ira cuando no existe»); Tengo miedo de quedarme con la cabeza colgando sobre el pecho como una gota [...]. Tengo miedo de evaporarme como un colchón de nubes («Fuga a caballo»); El
mar vertical deja ver el horizonte de piedra; Apoya
en tus manos tus ojos y cuenta tus pensamientos con
los dedos («El mar no es una hoja de papel»); del
falso armiño que hace cuadrada la figura («El solitario»); la estrella es un mar ya sin pájaros que radica en
el fondo («Del engaño y renuncia»); Para bogar, para
perder la lista de las cosas, para que de pronto nos
falte el dedo de una mano y no lo reconozcamos en
el pico de una gaviota («Ansiedad para el día»), etc.

Las últimas frases —reintegradas en el contexto pa-
radigmático de donde proceden— denuncian el camino surrealista hacia donde se dirige y expande la mo-

derna escritura de Aleixandre. De todos modos queda claro que la imagen creacionista, aunque no es más que una componente (entre otras) de los antecedentes estilísticos que caracterizan la personalísima escritura de *Pasión de la Tierra,* aparece en numerosos pasajes del libro; por ejemplo, en éste que dice: «Todas las escamas se reparten en la luz, y mis ojos de capas y capas van dejando caer sus hojas» [38], de típica procedencia huidobriana. Además, se nota el mismo proceso asociativo de materiales poéticos pertenecientes a distintos campos semánticos: como aquel relativo al cuerpo humano («manos», «dedos», «ojos», etc.) que se mezcla con elementos propios del mundo de la naturaleza («los pájaros», «las hojas», etc.), formando un universo constituido por inéditas imágenes mentales.

Esto a pesar de que la relación Aleixandre-Huidobro, como refiere el mismo poeta, fue poco intensa (los dos hombres eran distintos): contamos con dos solas visitas —en 1932 y 1937— del chileno al autor español [39]. Pero hace tiempo el crítico René de Costa publicó una carta facsímil de Aleixandre, fechada el 18-II-1937, que contestaba a una anterior de Huidobro [40], y de la cual se desprende que éste le pedía autorización para incluir sus versos en una amplia antología-almanaque sobre la poesía surrealista. De la lectura de la carta además se deduce que Huidobro había aludido también a poemas en prosa.

Aleixandre envía al poeta chileno con una dedicatoria personal el libro *Pasión de la Tierra,* recién sa-

---

[38] «Fulguración del as.»

[39] Además de la declaración del poeta (págs. 33-34), véase L. de Luis, *Vida y obra de Vivente Aleixandre,* Madrid, Espasa Calpe, 1978, pág. 133.

[40] Cfr. R. de Costa («Sobre los dos Vicente (Aleixandre y Huidobro) al margen de *Pasión de la Tierra»,* Santander, Peñalabra, 1979), al cual doy las gracias por haberme facilitado el ejemplar del facsímil.

lido de la editorial mejicana, añadiendo estas signifi-
cativas palabras: «Yo creo que el poeta se caracteriza
sobre todo por sus versos, pero lo dejo en libertad
para publicar prosa si aún le conviene editorialmen-
te.» La autorización concedida por Aleixandre se refería naturalmente a su producción en prosa: en este
caso —justo con el envío del libro— a los poemas en
prosa de *Pasión de la Tierra,* a los cuales claramente
aludía Huidobro en su carta.

Como se ve, una distinta actitud separa a los dos
poetas con relación a esta obra juvenil del autor español: Huidobro (quien probablemente conocía la colección de poemas en prosa a través de la persona de
Diego, gran amigo y admirador del chileno) se muestra interesado en la novedad representada por el libro; Aleixandre, al contrario, le reserva muchas dudas y desconfianza; sentimientos, sabemos, que el poeta mantendrá por largo tiempo, perjudicando en parte —sobre todo en los primeros años— la difusión de
la obra.

Lengua y escritura

4.0   Aventura humana en el inconsciente, descenso abismal a los infiernos, ascesis místico-telúrica, *Pasión de la Tierra* muestra los signos de una violenta
tensión en el registro de la lengua, de la escritura, vehículo fundamental de representación del mensaje
poético. Pero si la obra representa la primera y verdadera expresión del superrealismo español, ¿qué elementos de novedad aporta respecto a los intentos precedentes o coetáneos del grupo generacional?[41]

---

[41] Por ejemplo, aquellos representados por los libros *Sobre los ángeles*
de Rafael Alberti, *Un río, un amor* de Luis Cernuda, *Poeta en Nueva York*

Responder con exactitud a esta pregunta significa reanudar una polémica todavía no enterrada, que muestra una parte —la española— empeñada en defender la tesis de un movimiento autóctono, llamado «superrealismo», distante e independiente de las propuestas de la escritura automática; mientras que otra parte tiende a ver, en la influencia ejercida por esta última, la verdadera razón de la formación de la expresión hispánica. En resumidas cuentas, hay quien —y en *in primis* el propio autor— se siente extraño, o está preparado para minimizar la aportación dada por el movimiento de vanguardia europeo, vislumbrando en la corriente española un diferente rasgo formal e ideológico (individualismo, tradicionalismo, carencia e incoherencia programática); y hay quien, por el contrario, ve en la intensa fase de recíprocos contactos la prueba de la relación establecida entre los dos «ismos»[42].

La experiencia del movimiento nacional, considerando sobre todo las obras citadas de Alberti, Lorca,

---

de García Lorca: todos compuestos en los años 1928-29, los mismos de la colección de poemas en prosa de Aleixandre. Por cuanto se refiere al libro de Alberti se sabe que el 20 de diciembre de 1928 (es decir antes de su publicación) fue objeto de una conferencia de Pedro Salinas, seguida de una lectura poética del mismo Alberti, tenidas en la Residencia de Estudiantes de Madrid. Además, su aparición estuvo antecedida «por una labor previa de difusión y propaganda pública», como informa M. Hernández («Ronda de los autorretratos [...], en *F. García Lorca, Dibujos,* Madrid, 1986, pág. 85).

[42] Acerca de la conocida *querelle* sobre el surrealismo español, existe una numerosa serie de estudios y aportaciones interesantes, propuesta de nuevo en el volumen colectivo *El surrealismo,* a cargo de V. de la Concha, Madrid, Taurus, 1983 (véase el cap. «El problema del surrealismo español» y, en particular, el artículo de R. Gullón «¿Hubo el surrealismo español?»). Entre los sostenedores de la tesis de la independencia de la escuela superrealista española se distinguen los nombres conocidos de D. Alonso *(Ensayo sobre Poesía Española,* Buenos Aires, Revista de Occidente, 1946, pág. 358, y su discurso de contestación a V. Aleixandre con motivo del ingreso de éste en la Real Academia Española, 1950, pág. 44), y C. Bousoño *(op. cit.,* págs. 225-26).

Cernuda, Diego (y también las de Larrea, Moreno Villa, Emilio Prados y José María Hinojosa), presenta en efecto características peculiares respecto a los presupuestos de la escritura automática; de la que además difiere, por la existencia de una base lógica accesible a un gran número de lectores, lo que permite aproximarse a la obra sin excesivas reservas o sospechas. Pero aun en esto, *Pasión de la Tierra* se distingue de las otras obras españolas porque inaugura un lenguaje extraordinariamente inédito, entretejido de símbolos y de metáforas que dejan aflorar un indescifrable delirio onírico. El libro, por tanto, evidencia en sus peculiaridades expresivas, procedimientos asociativos basados en acumulaciones de tipo emotivo, que requieren el empleo de procesos mentales muy cercanos a los de la escritura automática.

La irracionalidad y la aparente imposibilidad de penetrar lógicamente en la maraña temática, dependiente de una escritura desgarrada y fragmentada, puede, en efecto, inducir a considerar *Pasión de la Tierra* como un típico producto del área francesa, una obra revolucionaria respecto a la propia producción aleixandrina; pero es evidente que del surrealismo ortodoxo, practicado por ejemplo por Breton y Soupault, el libro de Aleixandre no comparte sino la apariencia externa, ya que su contenido aparece continuamente sometido al control de la conciencia artística. He aquí lo que declara a propósito el mismo Aleixandre[43]:

> *Pasión de la Tierra,* el libro segundo, de poemas en prosa, supuso una ruptura, la única violenta, no sólo con el libro anterior, sino con el mundo cristalizado de una parte de la poesía de la época. Algo saltaba con esa ruptura —sangre, quería el poeta. Una masa en ebullición se ofrecía. Un mundo de movi-

---

[43] *O. C.,* pág. 1461.

mientos casi subterráneos, donde los elementos subconscientes servían a la visión del caos original allí contemplado, y a la voz telúrica del hombre elemental que, inmerso, se debatía. Es el libro mío más próximo al suprarrealismo, aunque quien lo escribiera no se haya sentido nunca poeta suprarrealista, porque no ha creído en lo estrictamente onírico, la escritura «automática», ni en la consiguiente abolición de la conciencia artística.

Aleixandre asigna a la exploración iniciada en *Pasión de la Tierra* el significado de una experiencia absoluta, abismal: y eso en estrecha conexión con el impulso inherente a la figura del cuerpo, su desgarrada pasión humana, cuyo mensaje pasa a través del registro de la escritura, o mejor, a través de un sucederse de símbolos aparentemente desligados, avanzando mediante una mecánica de apoyos iterativos en vilo del ritmo obsesivo de la frase.

4.1   Las dificultades que la escritura presenta son múltiples, y la primera está constituida por la forma empleada, es decir, la prosa en lugar del verso: una prosa que no narra en el sentido al que estamos acostumbrados, ni propone figuras ni objetos reales, ni sugiere imágenes que tengan una posibilidad de recepción inmediata. Una prosa, a menudo, carente de la misma sustancia del acontecer, y cuyo significado, cuando aparece, queda relegado al valor puramente indicativo sugerido por el título del poema, anulado rápidamente por la oscuridad de los símbolos diseminados a lo largo de la página. El enunciado avanza desordenadamente, a tientas, tras el resplandor de la palabra, capaz de crear continuas suspensiones y paisajes emotivos, en los cuales el poeta expresa profundos sentimientos anímicos.

El lenguaje de *Pasión de la Tierra* parece identificarse con la informe sustancia de un mensaje directamente vertido en el signo: un conjunto de signos que obedecen a reglas de naturaleza irracional, más allá de cualquier interpretación literaria. Las asociaciones y los vínculos directos se producen a través de un sistema de nexos basados en sensaciones y estados emotivos, sugeridos por la presencia de imágenes simbólicas y visionarias.

Se trata de unidades realizadas pese a aparentes desniveles internos o de falsas suspensiones tonales, cuya aleación llega por vía emotiva, psicológica, en una total libertad expresiva, creando un más genuino encuentro con la palabra. El autor comunica su oscura visión apoyándose en una escritura que se manifiesta sin una línea precisa de demarcación entre lo que consideramos el contenido y su expresión formal: es más, la expresión termina convirtiéndose en el contenido, en el sentimiento del poeta y del mundo.

En particular, queriendo aproximarse al material de la obra (donde, como hemos visto, es posible apreciar la influencia de lecturas fundamentales tales como la de Freud, Rimbaud, Lautréamont, Joyce, etc., algunas de ellas mencionadas por el propio autor[44]), descubrimos la tendencia a crear formas estilísticas que transforman la sustancia del ser en una rica y convul-

---

[44] Sobre la influencia ejercida por el primero, Aleixandre ha escrito: «Hace tiempo que sé, aunque entonces no tuviera conciencia de ello, lo que este libro *(Pasión de la Tierra)* debe a la lectura de un psicólogo de vasta repercusión literaria (Freud), que yo acababa de realizar justamente por aquellos años» *(O. C.,* pág. 1466). Además, J. L. Cano refiere, como confidencia del autor *(Los cuadernos de Velintonia, op. cit.,* pág. 210 e «Introducción» a *Espadas* [...], *op. cit.,* pág. 20), que Aleixandre y los poetas de la Generación del 27, para las obras de los surrealistas franceses, se servían de la librería de León Sánchez Consta, cuñado de Pedro Salinas y librero de J. Ramón Jiménez, donde estuvo empleado algún tiempo L. Cernuda. La traducción de las *Obras Completas* de Freud, propuesta en 1917 por Ortega y Gasset, fue realizada por L. López-Ballesteros en 1921 (cfr. A. L. Villena, *op. cit.,* pág. 65).

siva explosión sentimental: momentos, por tanto, de gran afirmación sensual —erotismo, misticismo, esteticismo, etc.— contrapuestos a estados anímicos exacerbados por la angustia y la soledad. Núcleos y coágulos emotivos que se expresan a través de un complejo sistema lingüístico constituido por estilemas de gran fuerza connotativa, verdaderos arquetipos expresivos que aluden a menudo a categorías sentimentales capaces de afirmarse o negarse en virtud de su simple pronunciación.

El examen de la lengua confirma una amplia tipología léxica que incluso aúna y condensa atmósferas y situaciones de procedencia impresionista: epifanías cromáticas que insisten en la descripción de estados de ánimo suspendidos y edulcorados:

> Una caracola, una luminaria marina, un alma oculta danzaría sin acompañamiento. No te duermas sobre el cristal, que las arpas te bajarán al abismo. Los ojos de los peces son sordos y golpean opacamente sobre tu corazón. Desde arriba me llaman arpegios naranjas, que destiñen el verde de las canciones. Una afirmación azul, una afirmación encarnada, otra morada, y el casco del mundo desiste de su conciencia. Si yo me acostara sobre el mar, en mi frente responderían todos los corales. Para un fondo insondable, una mano es un alivio blanquísimo. Esas bocas redondas buscan anillos en que teñirse al instante. Pero bajo las aguas el verde de los ojos es luto. El cabello de las sirenas en mis tobillos me cosquillea como una fábula («El mar no es una hoja de papel»).

4.2   Aún más frecuentemente se puede ver la huella de una intensa participación sentimental (exaltación y aspiración a la unión cósmica), documentada por varios usos de tipo interjectivo, que acompañan, por ejemplo, la explosión tonal del adjetivo «hermoso»[45] usado en su máxima amplitud, es decir, en grado superlativo. Esto implica una necesidad de afirmación basada en el valor de la palabra, en la complicidad ofrecida por su eco dilatado, persuasivo.

La recurrencia del adjetivo o mejor del superlativo «hermosísimo», en general referido a la imagen del cuerpo captado en el momento del culmen amoroso, por consiguiente en un estado de defenecimiento físico —véase a propósito la larga serie de metáforas prefigurando una situación de cansancio, de aniquilamiento, de agonía—, pero dirigido también hacia el sentido de una belleza vaga, irreal, sentimiento de estupefacta emoción que cuando canta pierde sus elementos objetivos en el proceso de identificación con el símbolo, traduciendo la fenomenología de una actitud estática, encaminada hacia un continuo ejercicio de verticalidad, hacia un grito alto y lacerado, paisaje humano y metafísico.

Junto al léxico marcado por un encendido lirismo, existe un vocabulario un tanto estratificado, cargado de una cierta especificidad expresiva, que emplea imágenes de origen grotesco, macabro, onírico. Esto permite además la utilización de módulos derivados de lo banal, de lo cotidiano y consumista, con el fin de crear efectos extraños y corrosivos, idóneos para reproducir el intenso y desordenado fluir de la realidad humana en sus más heterogéneas manifestaciones.

La autonomía de los diversos lenguajes (se podría hablar de «collage» lingüístico) no disminuye sino que multiplica las mil posibilidades combinatorias que acontecen a través de pasajes secretos, lábiles, umbrátiles, donde las imágenes se originan y se reproducen aun antes de la intervención y el control de la razón:

---

[45] El adjetivo «hermoso» (y términos afines) aparece en el libro 19 veces: 5 en la forma «ísimo» del superlativo absoluto.

nuevas vías de asociaciones y representaciones mentales que en *Pasión de la Tierra* crean modulaciones originales e inéditas llegando a un proceso inmediato de transcripción. He aquí un breve ejemplo:

> Todos los señores sentados sobre sus inocencias bostezaban sin desconfianza. El amor es una razón de Estado. Nos hacemos cargo de que los besos no son de «biscuit glacé». Pero si ahora se abriese esa puerta todos nos besaríamos en la boca. ¡Qué asco [...]! («La muerte o antesala de consulta»).

A la atmósfera de trágica espera —espera de la muerte— que lleva a estas anónimas figuras de condenados hacia una actitud de resignada aceptación, se contrapone la cáustica fuerza de las locuciones centrales: «El amor es una razón de Estado», «los besos no son de "biscuit glacé"», presentes en posición aislada para realzar el sentido desviador y banal de su gratuidad. En realidad, una línea unificadora, avivada por la serie limítrofe de los términos afines, recrea en el interior del pasaje una amalgama lingüístico-semántica en homología al plano emotivo del discurso. Las expresiones verbales: «bostezan sin desconfianza», «nos besaríamos en la boca», «¡Qué asco!» (esta última, fonética y sintácticamente unida a la precedente), pertenecientes a la misma tipología lingüística, cooperan indirectamente a establecer profundas conexiones emotivas, las cuales, como las primeras, traducen categorías instintivas del vivir, en cuanto expresan con su lenguaje la urgencia y la espontaneidad de sensaciones y pulsiones inmediatas que encuentran en la escritura el punto natural de sutura y cohesión. Igual función desarrolla el léxico proveniente del mundo de la cábala y del juego, cuyo espesor simbólico ignora toda regla de organización racional, respondiendo a imperativos de un código innato, existente *a priori* en nuestra mente.

En general, las expresiones formales reflejan elementos y componentes típicos de una prosa sobrecargada de intuiciones pero pobre de ideas, de conceptos, por lo cual se representa mejor a través de una vasta serie de imágenes y de símbolos atentos a avalar el codiciado estado de afirmación de la forma y de la pasión humana[46].

Los signos lingüísticos de tales tensiones no crean una línea precisa de demarcación entre opuestas categorías mentales, estando las mismas cargadas de igual poder enigmático y alusivo. El léxico, dirigido a representar distintos impulsos emotivos, no reduce su alcance al puro valor nominal, sino que amplía el significado en vastas resonancias internas, haciéndolo confluir en la esfera del significante. En el conjunto de secuencias precisas: la primera es orientada hacia lo alto, hacia la búsqueda de un cielo lejano; la segunda hacia abajo, a reafirmar la zona terrestre de exasperada presencia humana.

El análisis de la lengua, en sus datos de mayor frecuencia e incidencia gramatical, permite poner de relieve los diversos núcleos léxicos formando direcciones opuestas, en correspondencia con otros tantos y bien identificados motivos temáticos.

4.3   En relación con la declarada voluntad de afirmación terrestre expuesta ya desde el título de la obra[47], se pueden considerar, por ejemplo, como sig-

---

[46] A este propósito es muy significativo el poema titulado «Soy la forma y no el infinito». Además, como rasgo lingüístico del estilo aleixandrino, es interesante señalar la recurrencia en el libro del vocablo «forma» y —sobre todo— la expresión «en forma de», presente 13 veces.

[47] En la distinta denominación cronológica de la obra (*La Evasión hacia el Fondo, Hombre de Tierra, Pasión de la Tierra*) es posible ver la atención gradual del poeta hacia el elemento humano.

nos específicos de su mensaje formal, la tupida red de determinaciones de lugar de naturaleza adverbial, encaminadas a fijar, dentro de una geografía humana bien precisa, la imagen física de la presencia del poeta, de otra manera dispersa y lejana de su centro inspirador. Como demostración, transcribo este pasaje perteneciente al fragmento «Fulguración del as»[48]:

> *Aquí* erguido *estoy* amenazando con mi as, que brilla con un fulgor opalino, enturbiando mis más íntimas sensaciones. *Aquí estoy* intentando quedarme conmigo mismo, ganarme a la partida ruidosa que se disputan los bosques de fuera, esas largas avenidas de viento que enredan las almas desordenadas bajo la luna. No me entiendo.

Junto al uso del adverbio de lugar, propuesto en forma anafórica y, por consiguiente, con un papel preciso en el ámbito de la estructura de la frase, es posible distinguir la vigorosa iteración del verbo «estar» en primera persona, como dato inmediato de la realidad existencial, seguido de una serie de valores posesivos y reflexivos que giran en torno a la esfera solipsística del yo («mi as», «mis más íntimas sensaciones», «quedarme conmigo mismo», «ganarme», «no me entiendo», etc.): procedimiento visible en numerosos pasajes del libro, en particular en los poemas «Víspera de mí», «El crimen o imposible» y «El solitario».

Los términos adverbiales designan normalmente una posición de lugar, teniendo como función principal el avalar la imagen física de la presencia del poeta, incapaz de representarse a sí mismo: una presencia que ahora, gracias al nuevo dato adquirido, está en grado de declararse y definirse, de clamar la propia existencia; no es pura casualidad que la expresión ad-

---

[48] Las cursivas, aun en las citas posteriores, son mías.

verbial se resuelva a menudo en grito y voz más que en una concreta referencia física. No obstante, las designaciones en cláusula —los varios «aquí» para entendernos— no dejan de aprisionar fragmentos de realidad humana y paisajística, que ayudan a dar plasticidad y autenticidad a una búsqueda interior dirigida hacia lo externo. Estos elementos sirven sobre todo para llamar la atención del lector —y del poeta— hacia el centro disperso de una unidad creadora, difícilmente representable dado el carácter irracional y tumultuoso de su aventura. Llamarse y situarse en un lugar circunscrito, o simplemente «aquí», como hace el autor, es afirmar en términos concretos un acto de presencia humana.

En efecto, el valor adverbial sostiene un peso relevante, cuyo sustrato, por ser oscuro al propio poeta, queda en parte inexpresado o bien se exterioriza en el acto de su pronunciación, alcanzando con esto una verdadera *libido* vocativa. Prueba de ello es la frecuencia con que este adverbio se repite a lo largo de la producción entera de Aleixandre, a partir de la sucesiva obra *Espadas como Labios* hasta llegar a *Diálogos del conocimiento* [49].

4.4   Desempeñan una función análoga a la expresada por el adverbio de lugar, los adjetivos y pronombres demostrativos «ese» y «este», cuyo empleo, como en el primer caso, abarca toda la producción aleixandrina. Normalmente su presencia sirve para establecer una relación de cercanía e incluso de dependencia con la imagen relacionada, mientras que en *Pasión de la Tierra* —lo mismo que en otras obras de Aleixan-

---

[49] Por ejemplo, en los poemas «La palabra» y «Partida» *(Espadas como Labios);* «Mina» y «Corazón negro» *(La Destrucción o el Amor);* «Adiós a los campos» *(Sombra del Paraíso);* «El pasado: Villa Pura» *(Poemas de la Consumación);* «Sonido de la guerra» *(Diálogos del conocimiento);* etc.

dre— tiende a desempeñar una función ambigua, simuladora y hasta de pantalla, teniendo como fin esencial afirmar la presencia escondida y confusa del «yo» y no la otra declarada del objeto mencionado[50]. Este último, situado a cierta distancia del sujeto —hay un claro predominio de la forma «ese» en lugar de «este»— denuncia los rasgos ambiguos propios de la imagen indirecta, en el sentido de que desplaza la atención del lector desde el centro del «yo», incapaz de definirse, al del objeto lejano cargado de una mayor impregnación realista. Una especie de *escamotage* al que el autor recurre continuamente en el intento conmovedor de aclarar y de fijar en términos humanos la dirección de la propia exploración poética. Veamos a propósito el siguiente fragmento de «Vida»:

> No puedo perdonarte, no, por más que un lento vals levante *esas* olas de polvo fino, *esos* puntos dorados que son propiamente una invitación al sueño de la cabellera, a *ese* abandono largo que flamea luego débilmente ante el aliento de las lenguas cansadas.

Los numerosos demostrativos, casi siempre en posición anafórica, marcan el espacio poético con una cadencia, un movimiento propio de la frase mental: en este sentido, podemos seguir el flujo de las sensaciones que se articulan movidas por una tensión lingüís-

---

[50] La interpretación de D. Puccini (*op. cit.*, págs. 42-45), que adopta la tesis de H. Friedrich sobre la función del artículo determinado (*Die Strukturder modern Lyrik;* cito de la ed. italiana *La struttura della lirica moderna,* Milán, Garzanti, 1971, págs. 168-69), tesis que C. Bousoño (*op. cit.*, págs. 398-406) hace extensible a la obra aleixandrina, propone un paralelo con los procedimientos pictóricos surrealistas, capaces de fijar los objetos en su «alteridad irracional»; en este sentido, la fuerza alusiva relacionada con el uso del demostrativo llevaría al acto de la nominación obectual. Por el contrario, en su ambigua especularidad, me parece ver el oscuro reflejarse de la presencia del poeta.

tica dirigida a reproducir, de un modo próximo a la palabra, el fluir desordenado de la imaginación.

En una escala de valores fundamentales se nota la preferencia hacia ciertas imágenes visivas (esenciales para delimitar una energía de otro modo irreal y dispersa), que son las primeras en caer en la red de la mirada; y luego, sucesivamente, aquellas auditivas, táctiles, olfativas, siguiendo el orden natural de las cosas, en conexión con una mayor participación y posesión de lo real. Tal dinamismo no sigue siempre el desarrollo gradual y ordinario; a veces, atento a llamadas de carácter externo, se deja fácilmente seducir por el poder de pronunciación inherente a la palabra y a su cadencia silábica.

De cualquier modo, el explícito valor del demostrativo y su negación cumplen la función crítica de definir la frágil e incierta figura del poeta. A dicha función, como antes sucedía con el adverbio de lugar, se une la presencia del verbo «ser» en primera persona:

> *Soy* la mancha deshonesta que no puede enseñarse. *Soy ese* lunar en *ese* feo sitio que no se nota bajo las palabras («El solitario»).

Frecuentemente, la afirmación de sí mismo es propuesta en términos que parecen delimitar plásticamente la figura o, mejor, la posición horizontal asumida por el cuerpo humano en el acto de auscultación y de posesión física de las cosas. El vocablo «horizontal» o expresiones análogas se encuentran con frecuencia en algunos pasajes del libro. Así: «horizontalmente metido estoy»; e incluso:

> Soy un *plano perfecto* donde las pisadas no se notan, con tal que las pongáis en mis ojos. Con tal que, cuando señaléis *el horizonte en redondo,* no sintáis

el latido de la tierra que os va subiendo a vuestra
frente. Quiero *dormir* cansado. Quiero encontrar
aquí, en el hueco apercibido, ese *caparazón* liso donde cantar *apoyando* mis dos labios («Ser de esperanza y lluvia»).

Donde se pueden distinguir dos núcleos semánticos
complementarios uno de otro, dirigidos a representar
la misma imagen: el primero, estrechamente ligado a
la descripción física y metafórica de la figura del cuerpo humano; el segundo, interesado en delinear con
términos de superficie su contacto terrestre.

Esto no quiere decir repliegue y deseo de escucha
pasiva, como podrían sugerir los numerosos adverbios y complementos de lugar empleados; su presencia denota más bien la deliberada búsqueda de una
meta segura para contrarrestar la tumultuosa aventura vivida por el yo: un yo inmerso en un abismo interior que aflora violentamente con su sangre y dolor. La prueba de tal búsqueda lanzada a la conquista
de un espacio físico, que no es reposo y contemplación sino presencia y participación activa, se puede
ver examinando otros núcleos lingüísticos que, en
cierto sentido, aparecen en posición antinómica con
relación a los precedentes, ya que afirman no sólo un
estado de quietud sino un movimiento, una ascensión,
una continua aspiración que tiene como centro fundamental ahora y siempre el cuerpo, del cual se eleva
para dirigirse hacia lo alto.

En el plano puramente léxico, se corresponden con
los numerosos «aquí», «estoy», «soy» de la primera
expresión, otros grupos de preposiciones y adverbios
como «hacia», «hasta», «arriba» y, sobre todo, una nu-
trida serie de verbos que indican precisamente dirección y movimiento. Una rápida selección evidencia en
primer lugar las acciones verbales «alzar», «acercar»,

«arrastrar», «subir», «surtir», etc.[51]; y expresiones equivalentes como «Me levantaré hasta los oídos», «Yo tengo un brazo [...] que me llega hasta el cuello», «Me levantaré con mi cuerpo hasta el amanecer radiante», «Desnudo irrumpiré en los azules caídos», «Surtiré de mi cadáver alzando mis anillos», etc[52]; donde tanto los primeros términos como las tesituras verbales de las segundas frases, en sus connotaciones varias e insistentes, indican la aspiración hacia un cielo que, como ha precisado Carlos Bousoño[53], «no es un "más allá" donde subsistan las personales diferencias, sino un sumergirse a través de la muerte en la honda materia, ella misma espíritu, gloria, vida». En suma, es la materia que el poeta contempla, una materia íntimamente unida al yo, su prisión y éxtasis.

4.5   La contrariedad de los impulsos examinados y las opuestas direcciones que originan, pueden en parte explicar el encarnizamiento y la furia con la que está investida la palabra, la frase, siempre a punto de plegarse y romperse. Incluso la preferencia a negar[54], más que a afirmar, o a afirmar pero en forma aforística y por eso de modo impersonal, es un signo evi-

---

[51]   Hay una clara preponderancia del movimiento ascendente afirmado por verbos como «levantar», «elevar», «alzar», «subir», «ascender», etc., presentes más de 40 veces en el libro, respecto al movimiento descendiente aseverado por verbos como «descender», «caer», «hundir», «bajar», etcétera, que aparece 14 veces. Sobre la presencia de la idea dinámica en la obra de Aleixandre, cfr. G. Depretis («Del clímax a las imágenes ascendentes y descendentes en la poesía aleixandrina», *Quaderni Ibero-Americani,* Turín, diciembre de 1972).

[52]   Respectivamente, en «Fuga a Caballo», «Del engaño y renuncia», «Del color de la nada», «Víspera de mí» y «Ropa y serpiente».

[53]   C. Bousoño, *op. cit.,* pág. 67.

[54]   Sobre el uso particular de la negación en la poesía aleixandrina, cfr.: C. Bousoño *(op. cit.,* cap. XXIII, «Las negaciones imaginativas», pág. 379); J. María Valverde («De la disyunción a la negación en la poesía de Vicente Aleixandre [...], en *Escorial,* núm. 52, Madrid, 1945, páginas 447-57).

dente de la falta de un centro equilibrador al que hacer referencia.

Lo mismo ocurre con el uso de la repetición, en particular con la anáfora, figura recurrente en las páginas del libro, reflejo de un excitado estado de ánimo a punto de transformarse en materia; su empleo, más que significar, quiere indicar, reproducir lingüísticamente la fuerza de una idea, un convencimiento interior. O bien, la repetición tiende a insertarse como un elemento onomatopéyico y exorcizante para reavivar el ritmo de la frase, elevando y transformando el discurso de indirecto a directo:

> Cuando tú, tú, tú, tú, tú callas diciendo: «No te quiero» («Hacia el azul»).

Donde el pronombre personal, en la insistencia de la pronunciación, sale del contexto y se dirige a nosotros implicándonos en la dinámica de la acción, haciéndonos partícipes y responsables del mismo sentimiento vivido por el poeta.

Más aún, la figura de la repetición, en sus formas similares y distintas (la repetición verdadera propiamente dicha, los nexos copulativos y disyuntivos, las aliteraciones), tiene la precisa función de soldar las continuas rupturas emotivas y sintácticas presentes en el discurso aleixandrino, recreando una cierta unidad en el aparente caos lingüístico del libro. La iteración, en suma, se inserta como el ritmo ordenador de un contexto extremadamente inarmónico por la preponderante presencia de imágenes visionarias y fragmentarias.

Si examinamos la sintaxis de la obra, descubrimos que el nexo repetitivo, además de realizar el importante proceso de unión entre los varios estratos asemánticos, tiende por sí mismo a prolongar el alcance del valor fónico, atrayendo hacia su órbita un movimiento de sonidos similares; afirmando así un lenguaje desprovisto de semanticidad, pero abierto a las más variadas combinaciones estilísticas, procedentes del juego de onomatopeyas, de paronomasias y paralelismos, etc. Esto evidencia la propensión a irradiar alrededor una masa fónica puntualizada por las asonancias, por el vocalismo, por toda una riquísima serie de juegos léxicos, sorprendentemente nuevos respecto a experiencias precedentes de la tradición literaria española. Véanse estos dos ejemplos:

> Para bogar, para perder la lista de las cosas, para que de pronto nos falte el dedo de una mano y no lo reconozcamos en el pico de una gaviota. Poderse repasar sin saludo. Poder decir no soy aunque me empeñe. Poder decir [...] («Ansiedad para el día»).

> Soy largo, largo. Yazgo en la tierra, y sobro. Podría rodearla, atarla, ceñirla, ocultarla. Podría ser yo su superficie. Cubriéndola, ¡qué infame ropa rueda en el espacio! ¡Qué chaqueta callada, qué arrugas entre risas de vacío va girando o mintiendo bajo el yeso polar de la Luna, bajo la máscara más pálida de un payaso [...] («Ropa y serpiente»).

En el primer caso los sonidos se orientan, generalmente, hacia las consonantes «p», «r» y «d», componentes de los nexos iterativos «para» y «poder», que se afirman al comienzo de las frases y se encuentran puntualmente al final de cada grupo fónico y espacio lingüístico. Mientras que en el segundo ejemplo, tras la repetición —que tiene una oscilación más larga y variada (son tres los lexemas principales recurrentes: «largo», «podría», «qué»—, aparecen redundancias y vocalismos que subrayan las vocales «o» y «a» («Soy largo, largo. Yazgo [...], etc.), y sintagmas marcados por las consonantes líquidas contenidas en los infinitivos («[Podría] rode*arla,* at*arla,* ceñ*irla,* ocult*arla*»).

Asimismo, en el poema «Fuga a caballo», se pueden ver nuevos e interesantes módulos iterativos en forma de anáforas, que se suceden y sobreponen uno tras otro, enriqueciéndose poco a poco con nuevos elementos para poder arrastrar la incontenible explosión de material onírico surgido de la mente del poeta.

La operación sigue de cerca lo que ocurre generalmente durante el sueño, en el proceso de creación de las imágenes, donde a veces detalles, colores y figuras vuelven a aparecer en escenas sucesivas, dando lugar a una red sutil de ligámenes que van de un episodio a otro, favoreciendo el irresistible impulso imaginativo.

En «Fuga a caballo», sobre todo en las primeras líneas, la repetición se comporta de la misma manera: entra en los diversos pasajes mentales al final de cada frase con el objeto de dar nueva fuerza al estado de tensión que va atenuándose:

> Hemos mentido. Hemos una y otra vez mentido siempre. Cuando hemos caído de espalda sobre una extorsión de luz, sobre un fuego de lana burda mal parada de sueño. Cuando hemos abierto los ojos y preguntado qué tal mañana hacía. Cuando hemos estrechado la cintura, besado aquel pecho y, vuelta la cabeza, hemos adorado el plomo de una tarde muy triste. Cuando por primera vez hemos desconocido el rojo de los labios.

> Todo es mentira. Soy mentira yo mismo, que me yergo a caballo en un naipe de broma y que juro que la pluma, esta gallardía que flota en mis vientos del Norte, es una sequedad que abrillanta los dientes, que pulimenta las encías. Es mentira que yo te ame. Es mentira que yo te odie. Es mentira que yo tenga la

baraja entera y que el abanico de fuerza respete al abrirse el color de mis ojos.

Los dos párrafos citados constituyen una interesante muestra lingüística por el número relevante de rupturas y figuras anafóricas con que aparecen —fragmentados y unidos al mismo tiempo— en la contextura verbal del texto. Las anáforas, por ejemplo, se mueven en torno a verdaderos ejes centrales formados por el auxiliar «hemos» en el primer trozo, y «es mentira» en el segundo, dando lugar a una mecánica que tiende a repetir el núcleo principal en cada una de las frases sucesivas, enriqueciéndolo poco a poco con nuevos elementos: adverbios y preposiciones que desempeñan una función iterativa no secundaria y transitoria en la economía del periodo. Por ejemplo, del sintagma inicial «Hemos mentido» pasamos a una imagen más amplia: «Hemos una y otra vez mentido siempre», y sucesivamente: «Cuando hemos caído de espalda», «Cuando por primera vez hemos desconocido»; en las que, como se puede ver, los adverbios «cuando» y «vez» (este sustantivo en posición adverbial) son atraídos dentro de la órbita del auxiliar «hemos», comportándose de la misma manera.

Lo mismo se puede decir del uso constante de las oraciones indirectas, hipotéticas y negativas, que muestran una realidad aún no vivida valorando en ella las diversas posibilidades de exteriorización, o bien la expresan en forma de repulsa y rechazo, remitiendo a categorías de orden mental en cuanto presentes únicamente como confrontación y negación.

Afirmar y negar representan en *Pasión de la Tierra* modos diferentes dictados por una exigencia de definición crítica a la que el poeta recurre continuamente, constituyendo al mismo tiempo un intento de expresar sintética y simultáneamente la compleja visión del mundo contemplado en su aspecto positivo y negativo. Esto en conexión con un dualismo de fondo, que ya anuncia la amplia exploración emprendida en la sucesiva producción de Aleixandre, oscilante entre realidad externa y realidad interior, mundo vital y mundo especulativo: presente, el primero, en la experiencia central de *Espadas como Labios* y *La Destrucción o el Amor;* el segundo, en las obras que van desde *Mundo a Solas* hasta *En un Vasto Dominio,* confluyendo al final en la gran dialéctica abierta de los *Diálogos del Conocimiento.*

Imágenes y símbolos recurrentes

5.0 No podemos considerar *Pasión de la Tierra* sólo bajo la peculiaridad del repertorio lingüístico; la obra constituye un inmenso laboratorio de imágenes, de símbolos, intuiciones poéticas que se encuentran después organizadas y desarrolladas en los libros posteriores, en el ámbito de una visión más madura del poeta. «Allí está, pues —ha escrito el autor al referirse a su obra juvenil—, como en un plasma (aparte el valor sustantivo que el libro pueda poseer) toda mi poesía implícita. Ésta es un camino hacia la luz, un largo esfuerzo hacia ella. Sólo mucho después yo he descubierto la claridad y el espacio celeste. Pero desde la angustia de las sombras, desde la turbiedad de las grandes grietas terráqueas estaba presentida la coherencia del total mundo poético»[55].

Naturalmente, la frágil consistencia del material, como asimismo la manifestación de una realidad informe y fragmentaria, no consienten una precisa identificación de los temas antes enunciados y después de-

---

[55] *O. C.,* pág. 1448.

sarrollados en obras sucesivas: de todos modos parecen evidentes los signos de un compacto desarrollo orgánico y de un idéntico clima poético, suficientes para justificar el juicio expresado por el poeta en esta breve estación poética, que intuye y fija en las líneas esenciales la gran temática aleixandrina.

Así ocurre, por ejemplo, con algunos motivos propios de la época de madurez de Aleixandre, como la aspiración a una especie de unión y fusión con las fuerzas primigenias de la naturaleza y del cosmos, que en *Pasión de la Tierra* encuentran más de una referencia aunque generalizada, en ausencia de un discurso lógico-concreto que desarrolle y profundice sistemáticamente la idea.

En algunas expresiones del libro no es del todo difícil descubrir la fuente directa y, por consiguiente, la primera e imprecisa formulación de motivos confluyentes después en los versos de los libros sucesivos[56]. Aquí nos limitamos a señalar la imagen de las muchachas que reproducen con sus gracias el movimiento de un arroyo: «las muchachas vestidas andan tendidas por el suelo imitando graciosamente el arroyo»; o la descripción de los perfiles de los maniquíes que ofrecen «su desnudez al aire circundante»: imágenes ya presentes como motivo general en *Ámbito,* pero retomadas y sintetizadas en los versos de sus obras sucesivas, en particular en *Sombra del Paraíso,* donde aparecen en una metáfora densa de admiración por el

---

[56] No se trata sólo de motivos e imágenes, en parte señalados (véase la nota 4), sino incluso de estructuras métricas —«el versículo»— de típica concepción aleixandrina. Siguiendo las indicaciones dadas por Puccini (*op. cit.,* pág. 26), he examinado en un precedente trabajo *(Linguaggio poetico* [...], *op. cit.,* págs. 36-37) algunas articulaciones métricas relativas a la masa prosástica del libro (por ejemplo en el poema «Del color de la nada»). Aún, C. Marcial de Onís *(El surrealismo y cuatro poetas* [...], Madrid, J. Porrúa Turanzas, 1974, págs. 277-79) analiza la estructura rítmica del poema «Ser de esperanza y lluvia».

desnudo y la belleza femenina: «tu desnudez se ofrece como un río escapando»[57].

En realidad, las insistentes referencias al desnudo y a la desnudez, presentes en términos abstractos («Una piedra caída indica que la desnudez se va haciendo», «ella quedaba desnuda, irisada de acentos», «para mostrar la impura desnudez del pozo», etc.); o bien, directamente referidas a la persona humana («tu pecho», «tu seno», «tu largo cuerpo», etc.), muestran en otra variante la aspiración fundamental a un mundo dominado por la perfección y por la pureza. La imagen de la desnudez se ofrece al poeta, relegado en lo profundo de la experiencia onírica, en el incierto resplandor de la cosa soñada: una forma apenas entrevista e inmediatamente desaparecida, como un breve, lacerante rayo de luz, un augurio de belleza y de felicidad.

Naturalmente, el motivo del desnudo, que encontramos más persistente en los otros libros de Aleixandre[58], encaja en este espíritu de superación y de trascendencia que caracteriza gran parte de la poesía aleixandrina: en *Pasión de la Tierra* se manifiesta en vagos contornos casi irreales, produciendo una impresión emotiva más que visiva.

---

[57] «Cuerpo de amor.» La imagen heraclitea del río comparado con la belleza del cuerpo femenino es motivo recurrente en la poesía aleixandrina, puntualmente puesto de relieve por la crítica más atenta (véase: V. Granados, *op. cit.*, págs. 90-91, y L. Bourne, *Vicente Aleixandre. The crackling sun,* Madrid, Sociedad General Española de Librería, 1981, página 15). Su figura, ya presente en *Ámbito* («La fuente (Ingres)»), vuelve en el poema «El silencio», de *Pasión de la Tierra,* («Te beso, oh, pretérita, mientras miro el río en que te vas copiando») y, de nuevo, aparece al comienzo del poema «A ti, viva» de *La Destrucción o el Amor* («Cuando contemplo tu cuerpo extendido / como un río que nunca acaba de pasar»). Las otras citas provienen del poema «Del color de la nada».

[58] A este propósito, véase la rica ilustración ofrecida por C. Bousoño *(op. cit.,* págs. 52-53), y también por D. Puccini *(op. cit.,* págs. 20-21). Su recurrencia en el libro es de 13 veces.

5.1   Otros temas frecuentes en las páginas de la obra son los que corresponden a la representación de los elementos primordiales de la naturaleza; el agua, el viento, los peces, los pájaros, etc., energía animadora y espontánea germinación de fuerzas vivas, se hacen objeto de una riquísima gama de referencias, que irradia en torno multitud de imágenes esencialmente plásticas, del tipo pánico-instintivo, donde la naturaleza está presente en el encanto virginal de su primera estupefacta aparición.

Uno de estos símbolos, «los peces», muy frecuente en la connotación paisajística del texto[59], así como en las demás obras de Aleixandre, plantea una serie de figuras que asumen valores adjetivales, cuyos verbos tienden a plegarse en posición de adjetivos; así: «Los peces que no respiran», «un pez dormido [...] no puede sonreír», «los peces podridos», «los peces sorprendidos»; y aún: «los ojos de los peces son sordos», «los peces más viscosos», etc.; donde epítetos y sinestesias («los ojos [...] son sordos») juegan a crear un clima de extensa ambigüedad, en el sentido de que disgregan y descomponen la consistencia plástica de la prístina imagen erótico-ancestral del pez y, al mismo tiempo, proponen un lenguaje de típica figuración humana: «no respiran», «son sordos», «no puede sonreír», etc.

«Los pájaros», otra figura recurrente en el repertorio temático del autor[60], introducen una dimensión

---

[59] El vocablo (y sus términos afines) aparece 18 veces en las páginas del libro. Para P. Ilie *(The Surrealist Mode in Spanish Literature,* Ann Arbor, 1968, pág. 54; trad. esp., *Los poetas surrealistas españoles,* Madrid, Taurus, 1972), su símbolo desempeña un papel negativo. Sobre la presencia de la fauna en la obra aleixandrina, véase, entre la rica bibliografía existente, G. Depretis, *Lo zoo di specchi (Il percepire ambivalente nella poesia di V. Aleixandre),* Università di Torino, 1976 (en particular, el cap. I: «Il bestiario aleixandrino», pág. 19).

[60] La presencia en el libro del término «pájaros» (y vocablos afines

estática de los elementos de la naturaleza, muy próxima a la propuesta en los poemas de *Sombra del Paraíso,* recuerdo de un paisaje mítico y fabuloso, poblado de criaturas· de inefable belleza, imágenes aladas de la eterna aspiración a la alegría, a la felicidad paradisiaca.

En *Pasión de la Tierra* tal celebración panteísta encuentra figuras conmovedoras y luminosas, documentando la continuidad de un mensaje ya largamente prefigurado en esta primera colección de poemas en prosa. «Los pájaros» se presentan ante el poeta en la celestial transparencia de un paisaje totalmente refractado en el alma, en imágenes densas de colorido y de musicalidad («pájaros invisibles que estaban saliendo de los oídos virginales», «el estupor de las aves pasajeras», «El pájaro sonreía ocultando la gracia de su pico, con todas las palpitaciones temblando en las puntas de sus alas», «Canta, pájaro sin fuego que tienes de nieve las puntas de tus dedos»[61]. La oscuridad de la prosa aleixandrina queda esclarecida por elevadas luces espirituales, y por un velado sentimiento de nostalgia que acompaña al poeta en la búsqueda de un mundo apenas entrevisto y ya desaparecido.

La presencia radiante de «los pájaros» y de «las alas» (delicada sinécdoque que introduce la sensación del vuelo y del movimiento) aparece continuamente en el arco cronológico que va desde la redacción de *Espadas como Labios* hasta los *Diálogos del Conocimiento,* estableciendo una continuidad estilística y te-

---

como «aves», «plumas», «alas») es de 41 veces. La imagen, característica de la simbología aleixandrina, aparece con frecuencia en las obras sucesivas del poeta; por ejemplo, en *Espadas como Labios* («Silencio»), *La Destrucción o el Amor* («La selva y el mar», «Después de la muerte»), *Sombra del Paraíso* («Criaturas en la aurora», «Poderío de la noche»), *Nacimiento último* («Cantad, pájaros»), etc.

[61] Las primeras dos citas provienen del poema «Del color de la nada»; las demás, de «Fábula que no duele».

mática que anula las diferencias estructurales visibles en la elaboración posterior de los distintos libros.

5.2 Otra aportación no casual relacionada con este vocabulario ideal que caracteriza gran parte de la prosa de *Pasión de la Tierra,* se revela en la tendencia del poeta a reunir en una especie de terminología tópica, que abarca vocablos como «mar»[62], «agua», «estrella», «viento», alusiones visuales y táctiles que connotan una imagen grandiosa de inmensidad orientada a traducir el sentido de una aspiración humana a la unión cósmica, universal. Las referencias continuas al paso del viento, a la inmensidad del mar, del cielo y del firmamento, se convierten en arquetipos simbólicos de una visión exaltada del espíritu, que refleja externamente un profundo estado de tensión íntima. El grito, el dolor se mueven hacia espacios inmensos y siderales, configurando un preciso paisaje terrestre: el viento es un viento de amor y de pasión, y mide más el grado de intensidad que la dirección o la persona hacia quien tiende:

> ¡Oh viento, viento, perdóname estas barbas de hierba, esta húmeda pendiente que como un alud me sube hasta los ojos cerrados! ¡Oh viento, viento, oréame como a heno, písame sin que yo lo note! ¡Bárreme hasta ensalzarme de ventura! ¿Por qué me preguntas en el costado si la muerte es una contracción de la cintura? ¿Por qué tu brazo golpea el suelo como un látigo redondo de carne? Ya los naipes no están. ¡Oh soledad de los músculos! ¡Oh hueso carpetovetónico que se levanta como los anillos de una serpiente monstruosa! («El solitario»).

---

[62] Sobre la presencia de la imagen del «mar» en la poesía aleixandrina, cfr. K. Schwarts («The sea, love and death in the poetry of Aleixandre», en *Hispania,* núm. 2, Appleton [Wisconsin], mayo de 1967, páginas 219-228).

Es decir, la imagen simbólica del viento se precisa a través de la figura del cuerpo, que es pisado, barrido, arrasado en sus íntimas partes, por una fuerza impetuosa que aspira a la fusión cósmica: motivo ya presente en algunos poemas de *Ámbito;* por ejemplo, en «El viento», cuyos versos recitan:

> Si te das al viento,
> date toda hecha
> viento contra viento,
> y tómame en él
> y viérteme el cuerpo,
>
> antes que mi frente,
> tú y el viento lejos,
> sea sólo roce,
> memoria de viento;

aunque el tema, muy aleixandrino, se afirma sobre todo en la obra sucesiva, *La Destrucción o el Amor;* en particular, en el poema «El frío» (donde además se nota, en relación con el pasaje citado de «El solitario», el análogo uso del verbo «ensalzar»):

Viento negro secreto que sopla entre los huesos,
sangre del mar que tengo entre mis venas cerradas,
océano absoluto que soy cuando, dormido,
irradio verde o fría una ardiente pregunta.

Viento de mar que ensalza mi cuerpo hasta sus cúmulos,
hasta el ápice aéreo de sus claras espumas,
donde ya la materia cabrillea, o lucero,
cuerpo que aspira a un cielo, a una luz propia y fija.

En este sentido, ya en *Ámbito* y *Pasión de la Tierra,* el léxico aleixandrino tiende a realizar la intuición poética del amor entendido como destrucción y aniquilamiento físico. La presencia de términos y expresiones que introducen la idea de la muerte y de la soledad («Moriremos si es preciso. Pero moriremos sabiendo que el latido repercute en la inquietud de las venas como vaticinio indescifrable, como una promesa que no se nombra»[63]), llega a ser un modo particular —aunque de inspiración romántica— de traducir la fenomenología de la realidad biológica, que concibe el acto de la vida en conexión con una ingente profesión de energía física, cual resultado de la relación amor = muerte.

Este motivo se recoge a través de un léxico cuajado de figuras ricas en connotaciones colorísticas, dirigidas a dar la sensación de un abandono que prolonga el momento del placer y de la angustia: una demora en la cual es posible captar las últimas sugestiones de un romanticismo tardío, que veremos persistir, diversificado y de acuerdo con las nuevas exigencias estilísticas, en la restante producción poética de Aleixandre. Por otra parte, la imagen de la muerte, tal y como se configura en numerosos poemas de la obra, concuerda perfectamente con esa visión de representación plástica del acto amoroso ligada a un voluptuoso recuerdo del cuerpo gozado, presente en las carnes cansadas, en la «soledad de los músculos», en el «hueso carpetovetónico», en el «estremecimiento que serpea», en la «inquietud de las venas».

5.3 A la ecuación amor = muerte y, por consiguiente, al deseo de unión cósmica, también está conectado el lento esfuerzo de redención al que aspira el poeta, afirmado por imágenes que invariablemente se refieren a la esfera de las relaciones humanas. En particular, la figura del cuerpo, contemplada en su materia elemental, se destaca con toda evidencia determinan-

---

[63] «Fulguración del as.»

do momentos de trépida conmoción. Un vocabulario cargado de sus atributos, designando en general elementos referidos a la persona física («ojos», «bocas», «brazos», «frente»[64], testifica la inconfundible presencia de la voz humana en continua lucha contra «los límites» reales o simbólicos que se interponen al ansia de elevación espiritual. Como, por ejemplo, en el poema «Del engaño y renuncia»:

> Yo tengo un *brazo* muy largo, precisamente redondo, que me llega hasta el *cuello,* me da siete vueltas y surte luego ignorando de dónde viene, recién nacido, presto a cazar pájaros incogibles. Yo tengo una *pierna* muy larga que arranca del *tronco* llena de viveza, y que después de darle, como una cinta, siete vueltas a la tierra, se me entra por los *ojos,* destruyéndome todas las memorias, construyéndome una noche quieta en la que las sendas todas han convergido hasta el centro de mi *ombligo.*

El «brazo muy largo» alude a una imagen fálica, así como la expresión «la pierna muy larga»: impulsos y movimientos que llevan al poeta a la fuente íntima de la belleza («cazar pájaros incogibles»), entendida cual emanación fecundante del sexo amoroso («el centro de mi ombligo»); donde —según la conocida concepción aleixandrina— la vida se consuma, se destru-

---

[64] El término del «cuerpo» humano figura en el libro 14 veces, mientras el nombre de sus varias partes está presente en este orden cuantitativo: «ojos» (65); «manos» (40); «labios» (27); «pecho» (34); «corazón» (26); «brazos» (25); «dedos» (19); «cabeza» (18); «dientes» (16); «carne», «orejas-lóbulo» (13); «mejilla», «boca», «lengua» (10); «hombros», «cara-faz-rostro», «pelos-barba-bigotes» (9); «epidermis», «espaldas» (7); «pupilas», «cuello», «huesos» (5); «párpados», «entrañas-vísceras» (4); «cabellos», «cintura», «codo», «costado», «pierna», «talón», «tobillo», «torso-tronco», «uñas», «yemas» (3); «cadera», «esqueleto», «músculos», «muslo», «nuca», «pestañas», «pulmones» (2); «cejas», «columna vertebral», «estómago», «encías», «ingles», «mandíbulas», «nariz», «nervios», «ombligo», «pantorrillas», «pulsos», «sesos», «papilas» (1).

ye con su pasado («destruyéndome todas las memorias»), permitiendo la unión y la comunión cósmica («construyéndome una noche quieta»).

Como se ve, la imagen de la belleza no se precisa, sino que permanece un despojo misterioso e inaccesible («incogible»), mientras se representa en términos reales el espacio humano en el que tiene lugar la ardiente y apasionada «caza» intentada por el poeta. En fin, el cuerpo llega a ser el objeto de una atención que osaré llamar nueva por el interés que se da a la espléndida forma de sus sentidos, dispuestos a mostrarse en su prorrumpiente vitalidad como testimonio del anhelo humano hacia el espacio y la luz celeste.

Por lo demás, en el libro, a cada descripción de carácter abstracto o metafórico —basada en vocablos que indican una dimensión de estática visión de los elementos de la naturaleza («los pájaros», «las aves», «las alas» y otras figuras de la fauna aleixandrina) o que afirman una imagen de violencia y vastedad («el mar», «el agua», «la sangre», «el viento»— corresponde una análoga descripción que afecta a la figura humana.

En el poema «El amor no es relieve», por ejemplo, la oración «Un río de sangre es este beso estrellado sobre tus labios» afirma la idea del sentimiento de amor entendido como destrucción física; pero mientras el primer sintagma expresa metafóricamente («un río de sangre») la imagen de la devastación física causada por el encuentro amoroso, el segundo hace referencia a la figura concreta del cuerpo —en este caso, los «labios»— como vehículo necesario al acto de realización del sentimiento amoroso. En suma, sentido de abstracción y precisión realista se contraponen o, incluso, conviven en el léxico poético de *Pasión de la Tierra*.

Ahora, dos ejemplos, en los cuales los vocablos que dibujan el cuerpo humano son marginados con el fin de hacer más evidente su frecuencia en el sistema lingüístico. Su lectura confirma la calidad de una prosa en la que ciertas formas estilísticas acuden con particular insistencia:

En tu *frente* hay dibujos ya muy gastados. Las pulseras de oro ciñen el agua y tus *brazos* son limpios, limpios de referencias. No me ciñas el *cuello,* que creeré que se va a hacer de noche. Los truenos están bajo tierra. El plomo no puede verse. Hay una asfixia que me sale a la *boca.* Tus *dientes* blancos están en el centro de la tierra. Pájaros amarillos bordean tus *pestañas.* No llores. Si yo te amo. Tu *pecho* no es de albahaca («El amor no es relieve»).

Esa *carne* en lingotes flagela la castidad valiente y secciona la *frente* despejando la idea, permitiendo a tres pájaros su aparición o su forma, su desencanto ante el cielo rendido («Vida»).

El signo contrario, es decir la tendencia a la abstracción, es fácilmente rastreable en la apretada serie de términos y sintagmas indicativos de una idea, un concepto, y, en general, del ansia de elevación espiritual que mueve al poeta, directamente relacionados con la figura del cuerpo humano: así, en la «frente» aparecen dibujos «ya muy gastados» y «los brazos» están «limpios de referencia»; las «pestañas» son acariciadas «por pájaros amarillos». En el segundo ejemplo, «la carne en lingotes» flagela «la castidad valiente» y refleja «la idea», permitiendo a «tres pájaros su aparición»: lo que evidentemente pone a la luz la grandiosa imagen mental con la que Aleixandre mira el cuerpo humano y lo circunda con su contemplación. Esto es evidente en algunos pasajes de la obra, donde el fenómeno, bajo el empuje de la tensión lingüística, adquiere particular incidencia; como, por ejemplo, en este fragmento del poema «El mar no es una hoja de papel»:

> Si yo me acostara sobre el mar, en mi *frente* responderían todos los corales. Para un fondo insondable, una *mano* es un alivio blanquísimo. Esas *bocas* redondas buscan anillos en que teñirse al instante. Pero bajo las aguas el verde de los *ojos* es luto. El *cabello* de las sirenas en mis *tobillos* me cosquillea como una fábula. [...] Apoya en tus *manos* tus *ojos* y cuenta tus pensamientos con los *dedos*.

Naturalmente, los términos señalados tienen naturaleza simbólica y, además, el yo del poeta, de ascendencia romántica, se presenta con una connotación varia e insistente, exaltando la aspiración humana al cielo, un cielo alcanzado a través de la sublimación de la propia materia[65]; a pesar de esto, las precisas referencias al cuerpo y a su correspondiente terminología aparecen como la respuesta conmovedora de un sentimiento vivido por el espíritu pero inseparable del cuerpo.

El constante recurrir del poeta a la fuente de la energía humana, indica por una parte el deseo de superación y de unión cósmica, por otra la necesidad de

---

[65] Sobre el particular misticismo de Aleixandre, de tipo panteístico, telúrico, simbólico y más propiamente hispánico, la crítica ha distinguido la postura personal tomada por Aleixandre. Por ejemplo, O. Macrí ha visto en la actitud aleixandrina «quell'indifferenziato "terra-spirito", che ora ci appare non un'estasi finale di annullamento, ma il senso e il simbolo di una direzione continua» («Introduzione», *Poesia Spagnola del 900,* Parma, Guanda, 1961, 2.ª ed., pág. XLIV). Sobre el fracaso de la aspiración mística del poeta, véase lo que escribe R. Gullón, «Itinerario poético de Vicente Aleixandre», en *Papeles de Son Armadans,* núm. XXXII, Madrid, noviembre-diciembre de 1958, pág. 361; y C. Bousoño, *op. cit.,* páginas 76-84; D. Alonso, «La poesía de Vicente Aleixandre», en *Ensayos sobre poesía española,* Revista de Occidente Argentina, 1946, pág. 358.

acallar un pesimismo que en el continuo ejercicio de verticalidad —se entiende el anhelo místico— parece minarlo en el interior de su oculta certeza; en particular, se repiten con frecuencia las imágenes de «las manos», «los brazos», «la frente», que expresan plásticamente la idea de una aspiración y de una superación. Pero, más allá de las razones que pueden determinar la elección de un vocabulario atento al cuerpo y a sus atributos físicos, es fundamental el hecho de que su uso, su exacerbado realismo aparecen como la nota más evidente de aquel proceso de objetivación, frente a una tendencia general a la abstracción, que inspira la prosa poética de *Pasión de la Tierra.*

En definitiva, si «un cielo hay» en esta obra juvenil de Aleixandre, deseo humano de la arcana maravilla o eco nostálgico de un refugio místico no logrado, este cielo va pasando y configurándose precisamente a través de los sentidos corporales: así «los ojos» cantan sus luces y colores; «las manos», «los brazos» buscan su lejanía y miden su inmensidad; «la frente» y «la cabeza» conciben la idea y el sentido de una felicidad inasequible.

Además, el cuerpo, sometido al ímpetu del ardor amoroso, se configura como el medio natural, el holocausto necesario para la realización de la unión amorosa. Su agonía, su destrucción física, es deseada por el poeta, que en el continuo ejercicio de auscultación, se describe, enumera, canta los miembros que el beso de la amada ha dejado agonizantes:

> [...] porque quiero abrasarme mis *pupilas,* quiero conocer su *esqueleto,* esa portátil mariposa de los finos estambres, las más delicadas *papilas* vibratorias. Acaso el amor no puede quemarse («Hacia el azul»).

> Mujer, tus *axilas* son frías. Las rosas serán tan grandes que ahogarán todos los ruidos. Bajo los *bra-*

zos se puede escuchar el latido del *corazón* de gamuza. ¡Qué beso! Sobre la *espalda* [...]. Te amo, te amo, no te amo. Tierra y fuego en tus *labios* saben a muerte perdida. Una lluvia de pétalos me aplasta la *columna vertebral* («El amor no es relieve»).

En el momento del culmen amoroso, el cuerpo aparece transfigurado, desprovisto de su natural sustancia. Las metáforas comparativas con las que el poeta lo embellece: el «esqueleto» que llega a ser una «portátil mariposa de los finos estambres», el peso contra la «columna vertebral», una «lluvia de pétalos» —y se podría recordar aquella antes indicada de los «pájaros»—, evocan de nuevo una trepidación totalmente humana y terrena.

Asimismo, aparece evidenciada la atención por la figura del cuerpo cuando, una vez perdida la fe en los propios recursos y transformada la ideal imagen de la unión mística en un espejismo, en una meta inalcanzable, no le queda al poeta sino exteriorizar concretamente, mediante una reacción autopunitiva —en particular contra los propios miembros, símbolos de vitalidad[66]—, el estado de violencia física que lo invade. A los momentos de duda y de ansiedad, expresados sobre todo en el poema «Ansiedad para el día», donde el poeta empieza a realzar el elemento subjetivo y vital para ocultar la desconfianza que asoma en su ánimo: «En lugar de lágrima lloro la *cabeza* entera. Me rueda por el *pecho* y río con las *uñas,* con los dos *pies*...», siguen otros momentos en los que el pensamiento de la derrota termina por minar la favorable disposición a la alegría. Un sentimiento de incer-

---

[66] Cfr. P. Ilie (*op. cit.,* págs. 50-52), que escribe: «The artist's inner failure is here projected upon an independent figure, but the horror of truncating a life-giving organ is again imprinted upon Aleixandre as the breast kisses him.»

tidumbre y de íntima laceración prorrumpe con fuerza dirigiéndose hacia la figura del cuerpo humano, visto a través de truculentas imágenes de herida:

> Tengo miedo de quedarme con la *cabeza colgando* sobre el *pecho* como una gota y que la sequedad del cielo me *decapite* definitivamente. Tengo miedo de *evaporarme* como un colchón de nubes, como una risa lateral que *desgarra el lóbulo de la oreja* («Fuga a caballo»).

Excluido de los campos celestes hacia donde mira con profunda nostalgia, Aleixandre inviste de furia salvaje el cuerpo que antes amó y contó. Imágenes como «pecho herido, partido en dos», «un pétalo de carne, colgaba de su cuello», «garganta partida por un cuchillo», «frente partida», etc., documentan ampliamente el espectáculo de devastación física que el poeta va haciendo sobre sí mismo.

5.4   Igualmente, la categoría vital evidencia una serie de símbolos, entre los cuales «la serpiente» (también en las variantes de «cobra» o «pitón») y el de «la baraja», las cartas de juego, que se refieren o aluden concretamente a la sustancia vivificadora del hombre. El primero, en cuanto sus signos externos —la forma alargada y circular, su *hábitat* húmedo, su oscuro poder de fuerza y de muerte— afirman los elementos masculinos y femeninos de la vida, energía y fecundidad, pene y vagina, como apunta José Ángel Valente[67]; mientras que el segundo, en su insistente apelación a los poderes del destino y del arcano, muestra las numerosas *chances* existenciales reservadas a la condición humana. Los dos expresan aspectos y ac-

---

[67] J. A. Valente, *op. cit.*, pág. 179.

titudes de una tendencia vitalista que está en la base de la condición filosófica de la poesía aleixandrina.

Dos posibilidades de lectura

6.0   Las imágenes y las indicaciones no se limitan a referencias aisladas, dirigidas a iluminar la oscuridad semántica de la obra: éstas orientan la lectura hacia espacios y valores referenciales abiertos a muchas —y tal vez contradictorias— posibilidades de interpretación. Por lo demás, el análisis magistral realizado por Bousoño en su más reciente estudio sobre el surrealismo poético[68], pone muy bien en evidencia cómo la escritura de *Pasión de la Tierra* está íntimamente sostenida por líneas unitarias basadas en vínculos de carácter emotivo, los cuales actúan como medio natural de las manifestaciones del sentimiento, sustituyendo poéticamente la ausencia del pensamiento lógico. El hilo del discurso se reconstruye idealmente gracias a la intervención de varios planos asociativos creados por los símbolos presentes en las diversas secuencias separadas.

A la eficacia de la exégesis de Bousoño, que insiste —confortada por el cotejo efectuado con el poeta— en detalladas pruebas de explicación semántica, consintiéndonos penetrar en el enredo desordenado de la prosa, hay que añadirle las indicaciones de la función ejercida por la tensión lingüística presente en las formas más incisivas (la repetición, la negación, el nivel rítmico, la disposición gráfica, la rica estratificación léxica, etc.), capaces de traducir armoniosamente la homorritmia del confuso proyectarse del pensamiento

---

[68] C. Bousoño, *Superrealismo poético y simbolización,* Madrid, Gredos, 1979.

onírico. Justamente Villena alude a dos posibles lecturas del libro: una primera relacionada con la necesidad de comprender la convulsa simbología oculta en la semántica de la obra, y una segunda, de carácter eminentemente estético, basada en el placer del encuentro con la sustancia lingüística del texto. Dos lecturas que quieren ser dos modos diversos y complementarios de penetrar en el profundo mensaje contenido en el libro.

En realidad, *Pasión de la Tierra* —y lo revela este breve *excursus*— aparece caracterizada por una escritura muy compleja, capaz de acoger estados de ánimo inciertos y contradictorios, entre los cuales predominan el impulso vital y el pesimismo más exacerbado, ambos reflejo elocuente de la humana participación del poeta: puesto que —y no hay duda— el protagonista absoluto de esta aventura en lo irracional es siempre el hombre; el hombre con su peso y su sustancia terrena, prisión y holocausto necesario para que se cumpla el gradual paso en la comunión de las cosas.

Tabla sinóptica de las ediciones
de *Pasión de la Tierra*

0.1   Para facilitar al lector interesado en seguir el complejo y sinuoso camino del libro —«libro en movimiento» lo llama el poeta aludiendo a su progresiva permeabilidad exegética—, doy a continuación la tabla sinóptica de las etapas evolutivas del texto en correspondencia con las varias ediciones de la obra, indicando entre paréntesis cuadrados los títulos sucesivamente rehusados o modificados por el autor. No hago referencia a las ediciones Losada (*Espadas como Labios y Pasión de la Tierra,* Buenos Aires, 1957), Aguilar (*Poesías Completas,* Madrid, 1960, y *Obras Completas,* Madrid, 1968; 2.ª ed., 1978) y P. P. P. Ediciones (*Espadas como Labios. Pasión de la Tierra,* Madrid, 1984), por no presentar cambios significativos respecto a la edición *princeps* de Adonais.

1.   *Pasión de la Tierra. Poemas (1928-1929) [Evasión hacia el fondo,* 1929; *Hombre de Tierra,* 1932], México, ed. Fábula, 1935. La edición —que se hizo para los señores licenciados José G. Heredia y Enrique Asúnsolo— se terminó de imprimir el día 22 de abril de 1935 y consta de 150 ejemplares numerados. Fue intermediario de la edición Gerardo Diego, quien

envió personalmente los textos al amigo editor*. El libro, dividido en cuatro apartados, se compone de 17 poemas (pongo entre paréntesis sus títulos definitivos).

1

Víspera de mí
La noche bajo los ojos (El silencio)
Huella de primavera (Ropa y serpiente)
Tino sin lágrima (La forma y no el infinito)
La ira cuando no existe

2

Del color de la nada
Vecindad de un perfume (Fuga a caballo)
El crimen o imposible
El mar no es una hoja de papel

3

El solitario
Hacia el mar sin destino (Hacia el amor sin destino)
Fábula que no duele
Ansiedad para el día

4

El día está entre los helechos (El mundo está bien hecho)
El amor no es relieve

---

* En un lejano artículo dedicado a la poesía de Aleixandre («Curva ascendente», en *Ínsula,* núm. 50, febrero de 1950, pág. 2), G. Diego declara: «En cuanto a los poemas en prosa de *Pasión de la Tierra,* tuve la alegría de enviarlos a Méjico para que hicieran compañía a mis poemas *Fábula de Equis* y *Poemas Adrede* y al *Oscuro Dominio* de Larrea y a la *Oda a Walt Witman* de Lorca, también por mí conseguidos de sus autores y enviados para su impresión íntima por los amigos de Alcancía y Fábula.»

En el fondo navegan los instantes (El alma bajo el agua)
La velocidad es quererte (Hacia el azul)

2. *Pasión de la Tierra. Poemas (1928-1929),* Madrid, Adonais, 1946. Esta edición, vol. XXXII de la colección «Adonais», se acaba de imprimir en los talleres Uguina, en Madrid, el día 15 de diciembre de 1946. Consta de 24 poemas, distribuidos en 5 apartados:

1

Vida
El amor no es relieve
La muerte o antesala de consulta
Fulguración del as
Ser de esperanza y lluvia

2

Víspera de mí
El silencio
Ropa y serpiente
La forma y no el infinito
La ira cuando no existe

3

Del color de la nada
Fuga a caballo
El crimen o imposible
El mar no es una hoja de papel
Sobre tu pecho unas letras

4

El solitario
Hacia el amor sin destino
Fábula que no duele
Del engaño y renuncia
Ansiedad para el día

5

> El mundo está bien hecho
> El alma bajo el agua
> Hacia el azul
> El amor padecido

3. *Pasión de la Tierra*. Estudio, notas y comentarios de texto por Luis Antonio de Villena, Madrid, Narcea, S. A. de Ediciones, 1976; 2.ª ed., 1977. Consta en total de 28 poemas. Utiliza la ed. Adonais añadiendo, al comienzo del apartado 1, los poemas «Superficie del cansancio», «Reconocimiento» (antes «Renacimiento») y «Lino en el soplo» (antes «Los naipes usados»), encontrados por el hispanista Brian Nield y publicados en *Cuadernos Hispanoamericanos* en mayo de 1969. Después, con los nuevos títulos, aparecen en la antología del autor *Poesía Superrealista* en 1971. Otro poema publicado por Nield, «Los naipes usados» (antes «Lino en el soplo»), está incorporado en el *Apéndice* del libro (la permuta de su título con el anterior es intencional y debida al poeta).

4. *Pasión de la Tierra*, edición (en texto bilingüe y traducción al italiano) de Gabriele Morelli, Roma, Edizioni Bulzoni, 1984. Contiene una nota de Aleixandre *(Saludo a unos lectores italianos)* y presenta 28 poemas (el último, «Los naipes usados», aparece en el *Apéndice*), distribuidos en 7 apartados en lugar de los 5 precedentes. El orden compositivo ha sido establecido por el propio Aleixandre.

Nuestra edición

1.   La presente edición de *Pasión de la Tierra* ha sido realizada con la colaboración personal de Vicente Aleixandre. Se compone de 29 poemas divididos en 7 apartados, y se basa en la edición *Obras Completas* (O. C.), Madrid, Aguilar, 1968; 2.ª ed., 1978: es decir, en el texto cronológicamente más reciente revisado por el autor. De O. C. adopto sus criterios gráficos extendiéndolos a los poemas que no figuran en la misma. Corrijo sus erratas, añado, registro las variantes textuales tomando en consideración los poemas aparecidos en las revistas de la época *(La Gaceta Literaria, Los Cuatro Vientos,* etc.) y las ediciones del libro anteriores a O. C. De la primera edición, Fábula, utilizo el ejemplar del autor (núm. 111) que, según me refiere Bousoño, es el de su tío Carlos Prieto, residente en Méjico, quien, en los años 40, se lo regaló al poeta en sustitución de su libro personal, perdido en los bombardeos madrileños causados por la guerra civil. Por lo tanto, todas sus variantes, anotadas como «corregido a mano por el autor» remontan a esa época, o mejor, son preparatorias a la edición Adonais de 1946, en que resultan incorporadas en el texto.

Por lo que se refiere a la distribución del material poético —que aparece diferente con respecto a O. C.

y a la edición de L. A. de Villena (LAV), Madrid, Narcea, 1976; 2.ª ed., 1977— queda modificado de la siguiente forma:

a) Los poemas «Superficie del cansancio», «Reconocimiento» y «Lino en el soplo», publicados con «Los naipes usados» en *Cuadernos Hispanoamericanos* —no incluidos en O. C. y que, con otras quince composiciones, forman el apartado 1 de LAV— ahora constituyen un grupo autónomo que se corresponde con el apartado 3. Lo mismo ocurre con el poema «El solitario», incluido en el apartado 3 de LAV, y que ahora aparece independiente formando él solo el núm. 5. Por lo cual, el núm. 3 de LAV ha pasado a ser el núm. 4, el poema «El solitario» el núm. 5, el núm. 4 (sin «El solitario») el núm. 6, y así sucesivamente.

b) Por consiguiente, los cinco apartados que componen el libro de O. C. y LAV resultan ahora ser siete.

c) Aislados del resto, en el *Apéndice,* quedan dos poemas: «Los naipes usados» (antes «Lino en el soplo») ya incluido en LAV, y «Este rostro borrado» (aparecido en *Nueva Revista,* núm. 6, Madrid, 14 de marzo de 1930), que ahora por primera vez se incorpora al resto del libro. Dejados por el autor a nuestra libre elección, los publico dada la homogeneidad temática y lingüística que presentan con respecto a los demás poemas.

En conclusión, esta edición, corregida y enmendada, es considerada definitiva porque fija la distribución del material poético según un criterio que responde a la última voluntad del autor.

2. En nuestro último encuentro personal, Aleixandre ha tratado además de esbozar la línea que rige el desarrollo temático de la obra.

En primer lugar, el acto de iniciación vital, presente en el apartado 1 —significativo es el poema «Vida» que abre las páginas del libro—; mientras que en el apartado 2, sobre todo en los poemas «Víspera de mí» y «El silencio», se afirma el momento de la toma de conciencia y reflexión en relación con el nuevo sentido de la vida adquirido y la presencia del oscuro destino humano: En el apartado 3, añadido al esquema inicial del libro, el poeta reúne los poemas olvidados y considerados parte integrante del texto (los demás son colocados en el *Apéndice*). Y eso en cuanto, según las palabras de Aleixandre, «dichos poemas tienen un matiz diferente, de carácter sarcástico e irónico. Por esta razón yo quise darle independencia al ponerlos separados dentro del *corpus* original del libro».

Por consiguiente —a través de esta lectura a *posteriori*— el poeta se ve obligado a aislar en un nuevo apartado (el núm. 4) el poema «El solitario», antes incorporado con otros textos en la obra, tratándose de una composición de tono meditativo y tema solipsístico. En éste, en su título ambivalente —lo cual explica la reciente intervención del autor relativa al subtítulo «Juego de naipes», de carácter explicativo—, el poeta, por una parte se ausculta interiormente, por otra juega a salir de sí mismo, confiando en el poder simbólico de las cartas como alternativa a una realidad que se presenta sin posible solución. Los otros apartados sancionan con su contenido negativo la imagen de profundo pesimismo que rodea nuestro destino humano: pesimismo, apunta Bousoño[1], que se condensa en la frase final de uno de los últimos poemas del libro, que dice: «La gran serpiente larga que se asoma por el ojo divino y encuentra que el mun-

---

[1] C. Bousoño, *La poesía de Vicente Aleixandre, op. cit.*, pág. 68.

do está bien hecho»[2]; donde, naturalmente —comenta el crítico— la visión positiva del mundo es el resultado de la fuerza demoniaca representada por la serpiente.

3.   Por último, quiero dar las gracias, en primer lugar, a la memoria de Vicente Aleixandre que colaboró con generosidad hasta sus últimos días en la preparación de esta edición. Luego, a Alejandro Amusco, por sus ayudas y consejos y por haberme facilitado materiales importantes para la realización de este trabajo. Y a Dionisio Cañas, Francisco Brines, Carlos Bousoño, José Olivio Jiménez, José Luis Cano, Germán y Ricardo Gullón y José García Gallego, a quienes asimismo debo sugerencias, incentivos, reseñas difíciles de encontrar, y, en algún caso, la lectura de la redacción del texto español.

---

[2] «El mundo está bien hecho.»

Bibliografía crítica
de *Pasión de la Tierra*

ALFISENT, E., Marta, «Imágenes y emblemas surrealistas en *Pasión de la Tierra* y *Tentativa del hombre infinito*» (ponencia leída en el Congreso Internacional Iberoamericano celebrado en Madrid, abril de 1984).

BLEIBERG, Germán, «Vicente Aleixandre y sus poemas difíciles», en *Ínsula*, núm. 50, 15 de febrero de 1950.

BOUSOÑO, Carlos, *Superrealismo poético y simbolización,* Madrid, Gredos, 1979.

CANO, J. Luis, *«Pasión de la Tierra.* Vicente Aleixandre», en *Sur,* enero-febrero de 1936, pág. 15.

DEPRETIS, Giancarlo, «I riflessi dei *Chants de Maldoror* nella figuratività di *Pasión de la Tierra*», en *Studia Historica et Philologica in Honorem M. Batllori,* Roma, Instituto Español de Cultura, 1984, págs. 613-29.

DIEGO, Gerardo, «*Pasión de la Tierra*», en *Corcel,* Pliegos de poesía, núms. 5-6, Valencia, 1944, págs. 81-82.

DOMÍNGUEZ ACEVEDO, Concha, «Introducción a la poesía de Vicente Aleixandre» («Pasión de la Tierra», pág. 19-23), en *Vicente Aleixandre. Espadas como Labios. Pasión de la Tierra,* Madrid, P. P. P. Ediciones, 1984.

GILI DURÁN, Manuel, *El superrealismo en la poesía española contemporánea,* México, Univ. Nacional Autónoma de México, 1950, págs. 64-69.

GRANADOS, Vicente, *La poesía de Vicente Aleixandre (Formación y evolución)* (cap. V: «Descripción de *Pasión de la Tierra*», pág. 155), Málaga, Planeta, 1977.

GULLÓN, Ricardo, «Vicente Aleixandre: *Pasión de la Tierra*», en *Proel,* núm. 3, Santander, otoño 1946.

ILIE, Paul, *The Surrealist Mode in Spanish Literature* (cap. III, dedicado a Vicente Aleixandre: «Descent and Castration», páginas 40-57), Ann Arbor, The University of Michigan Press, 1968; trad. esp., *Los poetas surrealistas españoles,* Madrid, Taurus, 1972.

JARNÉS, Benjamín, «Letras españolas (sobre *Pasión de la Tierra*), en *La Nación*, Buenos Aires, 9 de noviembre de 1936.

JIMÉNEZ, J. Olivio, *«Pasión de la Tierra* de Vicente Aleixandre», en *Ínsula*, núm. 354, mayo, 1976, pág. 3.

MARCO, Joaquín, «Evasión, fondo, hombre, tierra y pasión: *Pasión de la Tierra* de Vicente Aleixandre», en *Ínsula*, números 374-75, enero-febrero, 1978, pág. 14.

MOLHO, Mauricio, «La aurora insumisa de Vicente Aleixandre», en *Ínsula*, núm. 14-15 de febrero de 1947.

MORELLI, Gabriele, *Linguaggio poetico del primo Aleixandre*, Milán, Cisalpino-Goliardica, 1972; «La presenza del corpo umano in *Pasión de la Tierra*», en *Revista de Letras*, núm. 22, Universidad de Puerto Rico, junio de 1974, págs. 225-35; después en AA. VV., *Vicente Aleixandre*, «El escritor y la crítica», a cargo de José Luis Cano, Madrid, Taurus, 1977, págs. 168-77; «Costanti e direzioni antinomiche in *Pasión de la Tierra*», en *Studi Ispanici*, Pisa, Giardini Editori, 1979, págs. 141-51; «Introduzione a *Pasión de la Tierra*», trad. al italiano, Roma, Bulzoni, 1984.

NOVO VILLAVERDE, Yolanda, «El surrealismo aleixandrino: *Pasión de la Tierra* y *Espadas como Labios*», en *Ínsula*, números 374-75, enero-febrero de 1978, págs. 20 y 29; después en AA. VV., *El surrealismo*, «El escritor y la crítica», a cargo de Víctor de la Concha, Madrid, Taurus, 1981, págs. 293-99; *Vicente Aleixandre. Poeta surrealista* (cap. II: «El surrealismo en V. Aleixandre: *Pasión de la Tierra* y *Espadas como Labios*», pág. 57), Universidad de Santiago de Compostela, 1980.

PERSONNEAUX, Lucie, *Vicente Aleixandre ou une poésie du suspens* (XII partie: «Les oeuvres surréalistes du poète: *Pasión de la Tierra* [...], pág. 129), Perpignan, Editions du Castillet, 1980.

PUCCINI, Dario, *La parola poetica di Vicente Aleixandre* (cap. I: «*Pasión de la Tierra*: prima incursione nel surreale»), Roma, Bulzoni, 1971; 2.ª ed., ampliada, 1976; trad. esp., *La palabra poética de Vicente Aleixandre*, Barcelona, Ariel, 1979.

VALENTE, José Ángel, «El poder de la serpiente», en *Las palabras de la tribu*, Madrid, Siglo XXI, 1971, págs. 171-94.

VILLENA, Luis Antonio de, *Vicente Aleixandre. «Pasión de la Tierra»*, estudio, notas y comentarios de texto, Madrid, Narcea, 1976; 2.ª ed., 1977.

VIVANCO, Luis Felipe, «El espesor del mundo en la poesía de V. A.», en *Introducción a la poesía española contemporánea*, vol. I, Madrid, Guadarrama, 1971, 2.ª ed.

Pasión de la Tierra

(1928-1929)

Lista de siglas

Para las ediciones del libro, las revistas y las antologías donde aparecen algunos de sus poemas, utilizo las siguientes siglas: PT1 *(Pasión de la Tierra,* México, 1935), PT2 *(Pasión de la Tierra,* Madrid, 1946), PTL *(Espadas como Labios* y *Pasión de la Tierra,* Buenos Aires, 1957), PC *(Poesías Completas,* Madrid, 1960), OC *(Obras Completas,* Madrid, 1968; 2.ª ed., 1978), PS *(Poesía Superrealista. Antología,* Barcelona, 1971), LAV *(Pasión de la Tierra,* ed. de L. Antonio de Villena, Madrid, 1976; 2.ª ed., 1977), Gac. Lit. *(La Gaceta Literaria),* Lit. *(Litoral),* CHA *(Cuadernos Hispanoamericanos),* LCV *(Los Cuatro Vientos),* NR *(Nueva Revista).* Así para las citas de las siguientes obras de Aleixandre: A *(Ámbito),* EL *(Espadas como Labios),* PT *(Pasión de la Tierra),* DA *(La Destrucción o el Amor),* HC *(Historia del Corazón),* VD *(En un Vasto Dominio).* Para los títulos de las obras de Aleixandre utilizo las mayúsculas, respetando el uso adoptado —en general— por el poeta.

1

VIDA*

Esa sombra o tristeza masticada que pasa doliendo no
oculta las palabras, por más que los ojos no miren las-
timados.

Doledme.

No puedo perdonarte, no, por más que un lento 5
vals levante esas olas de polvo fino, esos puntos dorados que son propiamente una invitación al sueño
de la cabellera[1], a ese abandono largo que flamea luego débilmente ante el aliento de las lenguas cansadas.

Pero el mar está lejos. 10

Me acuerdo que un día una sirena verde del color
de la Luna sacó su pecho herido, partido en dos como

---

* No figura en PT1.
[1] La imagen del cabello ardiente, señala Y. Novo Villaverde *(Vicente
Aleixandre, poeta surrealista,* Universidad de Santiago de Compostela, 1980, pág. 89), proviene de la obra de Breton, aunque el tema en general
de la cabellera, además de en las fuentes clásicas, se encuentra en Lautréamont («La chevelure de Falmer», *Les Chants de Maldoror,* IV) y, sobre todo, en un poema de Baudelaire («La chevelure», *Spleen et ideal),*
donde se ilustra toda su poética y estética.

la boca, y me quiso besar sobre la sombra muerta, sobre las aguas quietas seguidoras. Le faltaba otro seno.
No volaban abismos. No. Una rosa sentida, un pétalo 15
de carne, colgaba de su cuello[2] y se ahogaba en el agua
morada, mientras la frente arriba, ensombrecida de
alas palpitantes, se cargaba de sueño, de muerte joven, de esperanza sin hierba, bajo el aire sin aire. Los
ojos no morían. Yo podría haberlos tenido en esta 20
mano, acaso para besarlos, acaso para sorberlos, mientras reía precisamente por el hombro, contemplando
una esquina de duelo, un pez[3] brutal que derribaba el
cantil contra su lomo.

Esos ojos de frío no me mojan la espera de tu lla- 25
ma, de las escamas pálidas de ansia. Aguárdame. Eres
la virgen ola de ti misma, la materia sin tino que alien-
ta entre lo negro, buscando el hormiguero que no gri-
te cuando le hayan hurtado su secreto, sus sangrien-
tas entrañas que salpiquen. (Ah, la voz: «Te quedarás 30
ciego.») Esa carne en lingotes flagela la castidad va-

---

[2] *Una rosa sentida, un pétalo de carne, colgaba de su cuello.* La expresión y, en general, todo el pasaje del párrafo, de imagen truculenta —«The-
mes of sterility and castration» interpreta P. Ilie, *The Surrealist Mode in
Spanish Literature*, Ann Arbor, 1968, pág. 47 (trad. cast., Madrid, 1972)—
parecen proceder de la lectura de *Les Chants de Maldoror* y, aun, de la
prosa visionaria del cuento epónimo *La Flor de California* (París, 1926)
del libro de J. M. Hinojosa. De éste señalo la analogía de la frase «cuando
la flor color de carne empezó a corromperse» (J. M. Hinojosa, *La Flor de
California,* en *Poesías Completas,* tomo II, Málaga, Litoral, 1983, pág. 22).
Sobre el tema de la mutilación, como posible influjo de la obra de J. M.
Hinojosa en *Pasión de la Tierra,* cfr. V. Granados, *La poesía de V. A.* [...],
Málaga, Planeta, 1977, pág. 130.
[3] Sobre el significado del símbolo del pez y su frecuencia en el libro,
véase «Introducción», pág. 67.

19. En PT2 y PTL, *yerba.*
28. En OC, *hormigueo* (posible errata). La lección «hormiguero»
—acreditada por el sentido de la frase— y en general la de las hormigas,
es característica de la poética surrealista; véase la imagen de las hormigas
que corren por las palmas de la mano de la joven en *Le chien andalou.*

liente y secciona la frente despejando la idea, permitiendo a tres pájaros su aparición o su forma, su desencanto ante el cielo rendido.

35

¿Nada más?

Yo no soy ese tibio decapitado que pregunta la hora, en el segundo entre dos oleadas[4]. No soy el desnivel suavísimo por el que rueda el aire encerrado, esperando su pozo, donde morir sobre una rosa sepultada. No soy el color rojo, ni el rosa, ni el amarillo que nace 40 lentamente, hasta gritar de pronto notando la falta de destino, la meta de clamores confusos.

Más bien soy el columpio redivivo que matasteis anteayer.

Soy lo que soy. Mi nombre escondido.   45

---

[4] En éste, y en el primer pasaje del poema («Esa sombra o tristeza masticada...»), C. Marcial de Onís (*El surrealismo y cuatro poetas* [...], Madrid, J. Porrúa Turanzas, 1974, págs. 259-60) apunta la concepción negativa aleixandrina de la vida como «segundo entre dos oleadas», cuya imagen vuelve a presentarse en el poema «Entre dos oscuridades, un relámpago» de HC.

EL AMOR NO ES RELIEVE

Hoy te quiero declarar mi amor.

Un río de sangre, un mar de sangre es este beso
estrellado sobre tus labios. Tus dos pechos son muy
pequeños para resumir una historia. Encántame.
Cuéntame el relato de ese lunar sin paisaje. Talado   5
bosque por el que yo me padecería, llanura clara.

Tu compañía es un abecedario. Me acabaré sin oír-
te. Las nubes no salen de tu cabeza, pero hay peces
que no respiran. No lloran tus pelos caídos porque yo
los recojo sobre tu nuca. Te estremeces de tristeza   10
porque las alegrías van en volandas. Un niño sobre
mi brazo cabalga secretamente. En tu cintura[5] no hay
nada más que mi tacto quieto. Se te saldrá el corazón
por la boca mientras la tormenta se hace morada. Este
paisaje está muerto. Una piedra caída indica que la   15
desnudez se va haciendo. Reclínate clandestinamente.
En tu frente hay dibujos ya muy gastados. Las pulseras de oro ciñen el agua y tus brazos son limpios, limpios de referencia. No me ciñas el cuello, que creeré
que se va a hacer de noche. Los truenos están bajo tie-   20
rra. El plomo no puede verse. Hay una asfixia que
me sale a la boca. Tus dientes blancos están en el centro de la tierra. Pájaros[6] amarillos bordean tus pes-

---

[5] *En tu cintura* [...] *en el centro de la tierra.* Sobre este largo pasaje
véase el interesante análisis hecho por C. Bousoño *(Superrealismo poético y simbolización,* Madrid, Gredos, 1979, págs. 82-85 y 119-44).

[6] *Pájaros.* Sobre su presencia y simbología en la obra aleixandrina, véase «Introducción», pág. 67

5-6. En PT2 y PTL, *talado por el bosque.*
20. En PTI, *hacer la noche.*

tañas, No llores. Si yo te amo. Tu pecho no es de albahaca; pero esa flor, caliente. Me ahogo. El mun-   25
do se está derrumbando cuesta abajo. Cuando yo me
muera.

Crecerán los magnolios. Mujer, tus axilas son frías.
Las rosas serán tan grandes que ahogarán todos los
ruidos. Bajo los brazos se puede escuchar el latido del   30
corazón de gamuza. ¡Qué beso![7]. Sobre la espalda una
catarata de agua helada te recordará tu destino. Hijo
mío.—La voz casi muda—. Pero tu voz muy suave,
pero la tos muy ronca escupirá las flores oscuras. Las
luces se hincarán en tierra, arraigándose a mediodía.   35
Te amo[8], te amo, no te amo. Tierra y fuego en tus
labios saben a muerte perdida. Una lluvia de pétalos
me aplasta la columna vertebral. Me arrastraré como
una serpiente. Un pozo de lengua seca cavado en el
vacío alza su furia y golpea mi frente. Me descrismo   40
y derribo, abro los ojos contra el cielo mojado. El mundo llueve sus cañas huecas. Yo te he amado, yo. ¿Dónde estás, que mi soledad no es morada? Seccióname
con perfección y mis mitades vivíparas se arrastrarán
por la tierra cárdena.   45

---

[7] *¡Que beso! [...] por la tierra cárdena.* Para el comentario de este párrafo, cfr. L. A. de Villena, *op. cit.,* págs. 211-15.

[8] Nótese aquí, y en otros poemas del libro (por ejemplo en «Hacia el
amor sin destino»), la conocida ecuación aleixandrina *amor = muerte,* que
caracterizará la temática del libro posterior DA. Su motivo, asimilado a
la idea del viento, ya aparece en A («El viento»).

24-25. En PT1, *albahaca, pero.*

LA MUERTE
O ANTESALA DE CONSULTA*

Iban entrando uno a uno y las paredes desangradas
no eran de mármol frío. Entraban innumerables y se
saludaban con los sombreros. Demonios de corta vista visitaban los corazones. Se miraban con desconfianza. Estropajos yacían sobre los suelos y las avispas los 5
ignoraban. Un sabor a tierra reseca descargaba de
pronto sobre las lenguas y se hablaba de todo con conocimiento. Aquella dama, aquella señora argumen-
taba con su sombrero y los pechos de todos se hun-
dían muy lentamente. Aguas. Naufragio. Equilibrio de 10
las miradas. El cielo permanecía a su nivel, y un humo
de lejanía salvaba todas las cosas. Los dedos de la
mano del más viejo tenían tanta tristeza que el pasi-
llo se acercaba lentamente, a la deriva, recargado de
historias. Todos pasaban íntegramente a sí mismos y 15
un telón de humo se hacía sangre todo. Sin remediar-

---

   * No figura en PT1. El título inicial era «Antesala de consulta»; después, por sugerencia de Carlos Bousoño (como él mismo me refiere), ha
sido ampliado en la actual denominación, en que queda claro el intento
del esclarecimiento del texto. Además, según lo que Amusco señala (*El
Ciervo,* núm. 419, Barcelona, enero de 1986, pág. 29) —en la nota al margen del poema «La preconsulta del Dr. Wollman» de R. Álvarez Serrano—, este texto (publicado con el poema de Aleixandre «Noche» en la
revista *Grecia,* XL, 1920) parece haber inspirado la prosa «La muerte o
antesala de consulta». Lo evidencia la cercanía de los títulos y otras imágenes, en particular los versos finales del poema («se acerca la hora / de
la consulta»), presentes en la expresión aleixandrina «la hora grande se
acercaba». Otra posible fuente es la pieza teatral de Antonio Azorín, *Doctor Death: de 3 a 5,* estrenada en 1927, que propone una misma temática:
la sala de consulta del Doctor Muerte. El *Doctor Death...* es parte de
una trilogía (las otras obras: *Lo invisible* y *La arañita en el espejo),* de
vaga atmósfera surrealista, inspirada, como refiere el autor, en *Los cuadernos de Malte Laurids Brigge (El libro de la Muerte)* de Rainer-Maria
Rilke.

lo, las camisas temblaban bajo las chaquetas y las marcas de ropa estaban bordadas sobre la carne. «¿Me amas, di?» La más joven sonreía llena de anuncios. Brisas, brisas de abajo resolvían toda la niebla, y ella quedaba desnuda, irisada de acentos, hecha pura prosodia. «Te amo, sí» —y las paredes delicuescentes casi se deshacían en vaho. «Te amo, sí, temblorosa, aunque te deshagas como un helado.» La abrazó como a música. Le silbaban los oídos. Ecos, sueños de melodía se detenían, vacilaban en las gargantas como un agua muy triste. «Tienes los ojos tan claros que se te transparentan los sesos.» Una lágrima. Moscas blancas bordoneaban sin entusiasmo. La luz de percal barato se amontonaba por los rincones. Todos los señores sentados sobre sus inocencias bostezaban sin desconfianza. El amor es una razón de Estado. Nos hacemos cargo de que los besos no son de *biscuit glacé*. Pero si ahora se abriese esa puerta todos nos besaríamos en la boca. ¡Qué asco que el mundo no gire sobre sus goznes! Voy a dar media vuelta a mis penas para que los canarios flautas puedan amarme. Ellos, los amantes, faltaban a su deber y se fatigaban como los pájaros. Sobre las sillas las formas no son de metal. Te beso, pero tus pestañas... Las agujas del aire estaban sobre las frentes: qué oscura misión la mía de amarte. Las paredes[9] de níquel no consentían el crepúsculo, lo devolvían herido. Los amantes volaban masticando la luz. Permítame que te diga. Las viejas contaban muertes, muertes y respiraban por sus encajes. Las barbas de los demás crecían hacia el espanto: la hora final las segará sin dolor. Abanicos de tela

---

[9] En este fragmento L. A. de Villena (*op. cit.,* pág. 69) encuentra vagas coincidencias con el pasaje de «Mystique» *(Illuminations)* de Rimbaud, que dice: «Sur la pente du talus les anges tournent leurs robes de laine dans les herbages d'acier et d'émeraude. Des prés de flammes bondissent jusqu'au sommet du mamelon.»

paraban, acariciaban escrúpulos. Ternura de presentirse horizontal. Fronteras.

La hora grande se acercaba en la bruma. La sala cabeceaba sobre el mar de cáscaras de naranja. Remaríamos sin entrañas si los pulsos no estuvieran en las muñecas. El mar es amargo[10]. Tu beso me ha sentado mal al estómago. Se acerca la hora.

La puerta, presta a abrirse, se teñía de amarillo lóbrego lamentándose de su torpeza. Dónde encontrarte, oh sentido de la vida, si ya no hay tiempo. Todos los seres esperaban la voz de Jehová refulgente de metal blanco. Los amantes se besaban sobre los nombres. Los pañuelos eran narcóticos y restañaban la carne exangüe. Las siete y diez. La puerta volaba sin plumas y el ángel del Señor anunció a María. Puede pasar el primero.

· [10] *El mar es amargo.* Proviene de la expresión «Vieil océan, tes eaux sont amères» *(Les Chants de Maldoror,* I). Igualmente, en el «Romance sonámbulo» de F. García Lorca, se halla: «soñando en la mar amarga».

FULGURACIÓN DEL AS*

Esta misma canción que vuela, ésta que estás tú cantando, hermosísimo as de oros[11], es el romance antiguo de la legión de condenados que aspiraban el perfume de las espinas dolorosas entre los dedos. Cuando tú eras magnífico, cuando tú tenías los ojos bri-   5
llantes, dando la luz sin cambio, del todo, albergando
bajo los párpados el secreto de todos los triunfos más
mezquinos, no era difícil encontrarte en la mano, sa-
ludando, besando los dedos con reverencia de paje del
quinientos. Servicial como un espejo que conservase   10
en el rostro que se mira las mejillas de nácar. Pero si
embriagado alguien del intensísimo vino vibrátil, de
la cargazón de braveza y de sueño que despedía el fulgor de la baraja de lunas, se atrevía a levantarse y, mirando a la noche, notaba cómo sus pupilas se iban po-   15
niendo moradas y cómo la flor redonda del pecho en-
señaba unos dientes de lobo bajo un tímido bisbiseo
doliente, entonces estaba perdido. Entonces había caído bajo tu magia cárdena de la segunda hora. Se en-
cerraban las luces del cuarto en negativas furibundas,   20
rojas de la tensión de sus ensueños de brasa, de su de-

---

* No figura en PT1. El motivo de las barajas, tan característico de la
imaginerie surrealista (además se encuentra en la pintura de M. Du-
champs, en *Chimère* de Nerval y *The Waste Land* de Eliot), inspira los
poemas «Fuga a caballo», «El solitario» y «Los naipes usados». C. Marcial
de Onís *(op. cit.,* pág. 265) ha interpretado el tema como resultado del
entretenimiento evasivo del autor (debido a su salud delicada). Al contrario, apunta V. Granados *(op. cit.,* pág. 151), su presencia, al par de la
de las manos, tiene una profunda significación autónoma.
[11] *as de oros:* moneda romana de bronce, interpreta V. Granados
(op. cit., pág. 174), el cual se detiene en un penetrante análisis sobre varios pasajes de éste y otros poemas del libro.

1. En OC, *esta* (sin acento).

sesperado deseo. Uno sentía bullir en los hombros una anticipación de las alas, de la abanicada perseverancia que promete su premio para un mañana de cópula. Pero un pie muy ligero primero, una pluma suave empezaba a pesar precisamente sobre el hombro derecho; una forma que insistía mostrando cuán grave es la realidad que se tiene, cuánto sobre la espalda se sienten los besos que no se han dado. Un pie de yeso o de cera, quizá de carne, rosa, blanco, insistiendo, sonriendo dichosamente sobre la feliz planta viva. Así el camino es breve, así pronto el Occidente será una riqueza de oros que podrá batirse con las manos, que podrá multiplicarse en mil espumas sin labios. Así la preciada amarillez no será la tragedia de perder toda la sangre, sino la riqueza brava, despertada, de sentir en la piel los mil besos de todas las campanas. Moriremos si es preciso. Pero moriremos sabiendo que el latido repercute en la inquietud de las venas como vaticinio indescifrable, como una promesa que no se nombra.

Pero el oro de la baraja, pero todo ese oro clásico que en la mano mira a los ojos sin duda y que se ríe de nuestras chaquetas, sabiendo cuán breve es la resistencia de la sangre, sigue empuñado como un vaso de condenación ciego que no se acaba nunca. Aquí erguido estoy amenazando con mi as, que brilla con un fulgor opalino, enturbiando mis más íntimas sensaciones. Aquí estoy intentando quedarme conmigo mismo, ganarme a la partida ruidosa que se disputan los bosques de fuera, esas largas avenidas de viento que enredan las almas desordenadas bajo la luna. No me entiendo. Juego a ciegas. Llamaría a la luz, aquella plateada y distinta apariencia que puso en mis manos la

---

30. En PT2, *quizás.*

noche del sueño un agua transparente de sentires, de 55
dulces promesas de niño, de ingenuos caracoles de tierra, de lágrimas de mañana que amanecían con todo
silencio, con todo el respeto de las madres dormidas.

Pero no sé si podré. Tú, la que viene arrastrando
una cola que da siete vueltas a la tierra; tú, la más cla- 60
ra y justa denominación del amor, que pasas y repa-
sas ya como una cadena articulada de huesos sin límite, como una reanudada noria de mi desdicha, estás
ahí, muy atareada. Cazas alondras con la misma frial-
dad con que se yergue el monte en el fondo del océa- 65
no. Y yo te miro con la misma yerta esperanza.

Por eso escucho aquí el sombrío rumor de los naipes barajándose, y comprendo que su cabalístico cen-
telleo es el horóscopo que me invento, ese dedo largo
que se bifurca y, como unas tenazas, oprime el nervio 70
que da coletazos. Todas las escamas se reparten en la
luz, y mis ojos de capas y capas van dejando caer sus
hojas [12], para mostrar la impura desnudez de su pozo,
la aguerrida carcajada que ejercita su músculo embar-
cándose en las aguas del légamo, en el palpitante co- 75
razón que no sabe que la pleamar es un sueño horizontal bajo una luna de hierba.

---

[12] La frase «mis ojos [...] van dejando caer sus hojas», de origen creacionista, revela el mismo proceso asociativo de imágenes presentes en
Ecuatorial y *Poemas árticos* (Madrid, 1918) de V. Huidobro. Así, respectivamente, en el poema «Llueve» («Alguien que lloraba / hacía caer las
hojas», vv. 2-3), «Niño» («Caen sus plumas sobre el otoño», «Cae su bar-
ba un poco de nieve», vv. 4 y 13), y «Camino» («A lo largo del camino
/ He deshojado mis dedos», vv. 1-2), etc. Procedimiento análogo encontramos a veces en J. Ramón Jiménez: así en el poema «Convalecencia»
(«Poco a poco las hojas van cayendo / de mi corazón mustio, doliente y
amarillento», vv. 14-15), donde es evidente el matiz modernista del proceso imaginativo.

77. En PT2 y PTL, *yerba.*

SER DE ESPERANZA Y LLUVIA*

La primavera insiste en despedidas[13], arrastrando sus
cadenas de cuerdas, su lino sordo, su desnudez de ocaso, el lienzo flameado como una sábana de lluvia.
Alentar sobre un seno, alargar la mano a tres mil ki-
lómetros de distancia, hasta tocar la frente de cristal   5
en que están impresos los azules marinos, los peces
sorprendidos; sentir en el oído la mirada de las cimas
de tierra que llegan en volandas, prescindiendo de sus
gimientes roces aterciopelados, no basta para alcanzar el sueño mientras se aspira el aroma de pincho   10
que el tallo de la flor está ocultando en embriaguez.
Dejadme entonces soñar con el silencio estéril. Acaso
todo un ejército de hormigas, camino de la lengua, no
podrá impedir diez mil puntos dorados en las pupilas
abiertas. Acaso la sequedad del corazón proviene de   15

---

* No figura en PT1.
[13] C. Marcial de Onís (*op. cit.*, págs. 277-79) ha dividido en versos
la estructura rítmica del pasaje (hasta «los dos brazos entreabiertos»), llegando a la conclusión de que «el 50 por 100 de los versos responden al
conjunto tradicional de endecasílabos y heptasílabos, una de las combinaciones favoritas de Aleixandre», presente sobre todo en *Espadas como Labios.* Por lo cual el crítico sospecha «que Aleixandre escribió en verso los
poemas de *Pasión de la Tierra,* no muy distantes en el tiempo de los *Espadas como Labios,* y luego los dio en prosa por la excesiva longitud de
los mismos»; o, al contrario, «que los poemas de *Espadas como Labios*
fueron originalmente de una extensión similar a los poemas de *Pasión
de la Tierra,* pero una voluntad de selección, *a posteriori,* los redujo a una
extensión apropiada a un libro de versos. Gerardo Diego («*Pasión de la
Tierra*», *Corcel,* Pliegos de poesía, núms. 5-6, Valencia, 1944, págs. 81-82),
quien tuvo en sus manos el texto completo antes de la edición mexicana,
probablemente se refiere a este poema, cuando —confundiendo su tema
con el de «Superficie del cansancio»—, dice recordar uno «con imágenes
de instrumentos músicos, de arranque tan apasionado y lírico, que la prosa, sin conciencia del autor —hablamos los dos de esto— se transfiguraba
por momentos en series de magníficos, nerviosos endecasílabos libres. No
es el menor encanto de estos poemas el de su ritmo».

ese dulce pozo escondido donde mi mejilla de carne
cayó con sus dos alas, en busca de los dos brazos entreabiertos. ¡Qué espejo cóncavo recogió el corazón
como dos labios y dejó su sonrisa en la esquina difícil,
allí donde la flor dejada anteanoche era del color de   20
la espera, del morado que se oscurecía entre los dientes! Dos rizos de humo caían por la frente sin guir-
nalda, delicadamente indiferentes al lamentar del pecho descendido. Y una abeja de hielo, parada sobre el
seno, no palidecía, por más que la flor pisada hubiese 25
olvidado sus dos formas, su número y su sino, y ese
brutal vaivén del viento entre los dedos.

Horizontalmente metido estoy vestido de hojalata
para impedir el arroyo clandestino que va a surtir de
mi silencio. Para no ver las hojas verdes que flotarán 30
bajo las nubes condensadas, arrastradas por los llama-
mientos sedientos. Soy un plano perfecto donde las pi-
sadas no se notan, con tal que las pongáis en mis ojos.
Con tal que, cuando señaléis al horizonte en redondo,
no sintáis el latido de la tierra que os va subiendo a   35
vuestra frente. Quiero dormir cansado. Quiero encontrar aquí, en el hueco apercibido, ese caparazón liso
donde cantar apoyando mis dos labios.

Ser de esperanza y lluvia que desciende del fondo
del relámpago como un pecho partido. Piedra de cal   40
y sangre que rompe sus vagidos contra la frente loca
de luces aspeadas, de cruces fulgurantes hasta el hueso. Muero porque no sé si la forma percibe la claridad del sol, o si el fondo del mar puede encontrarse
en un anillo. Porque tengo en la mano un pulmón   45
que respira y una cabeza rota ha dado a luz a dos ser-
pientes vivas.

22. En OC, *caín* (errata).
28. En PT2, *mentido*.

Perdidamente enamorada la mujer del sombrero enorme caía torrencialmente en forma de pirata que viene a sacudir todos los árboles, a elevar hacia el cielo las raíces desengañadas que no sonríen ya con sus dientes de esmeralda. ¿Qué esperaba? Tras la lluvia el corazón se apacigua, empieza a cantar y sabe reír para que los pájaros se detengan a decir su recado misterioso. Pero la prisa por florecer, este afán por mostrar los oídos de nácar como un mimo infantil, como una caricia sin las gasas, suele malograr el color de los ojos cuando sueñan. ¿Por qué aspiras tú, tú y tú también, tú, la que ríes con tu turbante en el tobillo, levantando la fábula de metal sonorísimo; tú, que muestras tu espalda sin temor a las risas de las paredes? Si saliéramos, si nos perdiéramos en el bosque, encontraríamos la luna cambiando ajustando a la noche su corona abolida, prometiéndole una quietud como un gran beso. Pero los árboles se curvan, pesan, vacilan y no me dejan fingir que mi cabeza es más liviana que nunca, que mi frente es un arco por el que puede pasar nuestro destino ¡Vamos pronto! ¡Avivemos el paso! ¿No ves que, si te retrasas, las conchas de la orilla, los caracoles y los cuentos can

Una página de *Pasión de la Tierra* (México, Fábula, 1935) que presenta, corregido a mano por Aleixandre, el nuevo título del poema, «El mundo está bien hecho».

2

VÍSPERA DE MÍ

Una dulce pasión de agua de muerte no me engaña.
No me jures que el mar está lejos, que todas las «ca-
brillas» de estaño y los boquetes de tierra que se abren
entre los dedos servirán para ocultar tu sonrisa. No
puedo admitir el engaño. Ocultándome de las formas 5
y aves, de la blancura de un futuro premioso, puedo
extender mi brazo hasta tocar la delicia. Pero si te
ríes, si te incautas de la brevedad que no falla, no me
sentiré bastante fuerte. Fracasaré como una cintura
que se dobla. Mis ojos saben que la insistencia no da 10
luz, pero que puede ser una solución indolora. Des-
pojándome las sienes de unas paredes de nieve, de un
reguero de sangre que me hiciera la tarde más caída,
lograré explicarte mi inocencia. Si yo quiero la vida
no es para repartirla. Ni para malgastarla. Es sólo 15
para tener en orden los labios. Para no mirarme las
manos de cera, aunque irrumpa su caudal descifrable.
Para dormirme a mi hora sobre una conciencia sin
funda. Sabré percibir los colores. Y los olores. Y la
pura anatomía de los sonidos. Y si me llamas no bus- 20

2-3. En PT1, sin comillas.
11. En PT2 y PTL, *puede una.*
15. En OC, *solo* (errata).

caré un agua muy tibia para enjuagarme los dientes.
No, no; afrontaré la limpieza del brillo, el tornasol y
la estéril herida de los crepúsculos. No me ahorraré
ni una sola palabra. Sabré vestirme rindiendo tributo
a la materia fingida. A la carnosa bóveda de la espe-   25
ra. A todo lo que amenace mi libertad sin historia.
Desnudo[14] irrumpiré en los azules caídos para parecer de nieve, o de cobre, o de río enturbiado sin lágrimas. Todo menos no nacer. Menos tener que sonreír ocultándome. Menos saber que las cejas existen   30
como ramas de sueño bien alerta.

Por eso estoy aquí ya formándome. Cuento uno a
uno los centímetros de mi lucha. Por eso me nace una
risa del talón que no es humo. Por ti, que no explicas
la geografía más profunda.   35

Si me vuelvo loco, que no me encierren. Que me
permitan soñar con las nubes. Con la firmeza de mi
voluntad yo levantaré vagos techos y luego los alzaré
como tapas. Mis ojos os traerán los columpios. Os gobernaré con polvillo de santos. Sabréis adorar otros   40
paños, y la elegancia de su caída hará que acerquéis
vuestras bocas.

Dejadme que nazca a la pura insumisa creación de
mi nombre.

---

[14] El motivo tan aleixandrino de la desnudez, ya señalado por D. Puccini (*La parola poetica di V. A.*, Roma, Bulzoni, 1971, págs. 20-21; trad.
cast., Barcelona, 1979), vuelve 13 veces a lo largo del libro; así en «El
amor no es relieve» («Una piedra caída indica que la desnudez se va haciendo»), «La muerte o antesala de consulta» («ella quedaba desnuda, irisada de acentos»), «Del color de la nada» («Inútil que los maniquíes derramados ofreciesen, ellos, su desnudez al aire circundante»), etc.

36. En PT1, *loco que.*
38. En PT1, PT2 y PTL, *techos, y.*
39-40. En PT1, *gobernaré un polvillo.*

EL SILENCIO*

Esa luz amarilla que la luna me envía es una historia
larga que me acongoja más que un brazo desnudo.
¿Por qué me tocas si sabes que no puedo responder-
te? ¿Por qué insistes nuevamente, si sabes que contra
tu azul profundo, casi líquido, no puedo más que ce- 5
rrar los ojos, ignorar las aguas muertas, no oír las mú-
sicas sordas de los peces de arriba, olvidar la forma
de su cuadrado estanque? ¿Por qué abres tu boca reciente, para que yo sienta sobre mi cabeza que la noche no ama más que mi esperanza, porque espera ver- 10
la convertida en deseo? ¿Por qué el negror de los brazos quiere tocarme el pecho y me pregunta por la
nota de mi bella caja escondida, por esa cristalina pa-
lidez que se sucede siempre cuando un piano se aho-
ga, o cuando se escucha la extinguida nota del beso? 15
Algo que es como un arpa que se hunde.

Pero tú, hermosísima, no quieres conocer este azul
frío de que estoy revestido y besas la helada contracción de mi esfuerzo. Estoy quieto como el arco tiran-
te, y todo para ignorarte, oh noche de los espacios car- 20
dinales, de los torrentes de silencio y de lava. ¡Si tú
vieras qué esfuerzo me cuesta guardar el equilibrio
contra la opresión de tu seno, contra ese martillo de
hierro que me está golpeando aquí, en el séptimo espacio intercostal, preguntándome por el contacto de 25
dos epidermis! Lo ignoro todo. No quiero saber si el
color rojo es antes o es después, si Dios lo sacó de su

---

* Aparece en PT1 con el título «La noche bajo los ojos» (corregido a
mano por el autor).

5. En PT1, *profundo casi líquido no*.

frente o si nació del pecho del primer hombre herido. No quiero saber si los labios son una larga línea blanca.

De nada me servirá ignorar la hora que es, no tener noción de la lucha cruel, de la aurora que me está naciendo entre mi sangre. Acabaré pronunciando unas palabras relucientes. Acabaré destellando entre los dientes tu muerte prometida, tu marmórea memoria, tu torso derribado, mientras me elevo con mi sueño hasta el amanecer radiante, hasta la certidumbre germinante que me cosquillea en los ojos, entre los párpados, prometiéndoos a todos un mundo iluminado en cuanto yo me despierte.

Te beso, oh, pretérita, mientras miro el río en que te vas copiando, por último, el color azul de mi frente.

---

41. En PT1, *oh pretérita.*
42. En PT1, *copiando por último el.*

ROPA Y SERPIENTE*

... Ni a mí que me llamo Súbito, Repentino, o acaso
Retrasado, o acaso Inexistente. Que me llamo con el
más bello nombre que yo encuentro, para responder-
me: «¿Quéeeeeee?...» Un qué muy largo, que acaba en
una punta tan fina que cuando a todos nos está atra- 5
vesando estamos todos sonriendo. Preguntando si
llueve. Preguntando si el rizo rubio es leve, si un ti-
rabuzón basta para que una cabeza femenina se tuer-
za dulcemente, emergiendo de nieblas indecisas.

Pero no me preguntes más. Una pompa de jabón, 10
dos, tres, diez, veinte, rompen azules, suben, vuelan,
qué lentas, qué crecientes. Estallan las preguntas, y
bengalas muy frías resbalan sin respuesta. Un caballo, una cebra, una hermosa inutilidad que yo me he
sacado de la manga, corre, trota, quiere distraer vues- 15
tros ojos, mientras la lágrima más grande, la que no
podemos entre todos sostener con nuestros brazos,
nos pesa de tal modo que nuestros cuerpos vacilan

---

* Aparece en PT1 con el título «Huella de primavera» (corregido a
mano por el autor). La imagen de la serpiente y de otros ofidios (cobra,
pitón), presente 8 veces en el libro, es elemento notorio en la fauna poética aleixandrina, ya señalado por los críticos (entre otros, J. Ángel Valente, «El poder de la serpiente» en *Las palabras de la tribu,* Madrid, Siglo XXI, 1971, págs. 170-84) como símbolo ambivalente —masculino y
femenino— de la energía vital. Aparece ya en Lautréamont (véase «Introducción», pág. 78).

1. En PTL, *Repentino o.*
4. En PT1, *quée e e e e?...;* en PT2 y PC, *¿Qué e e e e e e?...* Re-
producimos las distintas formas tipográficas, preguntándonos si sobre
todo la primera, la de PT1, no representa un intento de imitación del espacio creacionista.
9. *dulcemente emergiendo.*
12. En PT1, *preguntas y.*
15. En PT1, *manga corre.*

bajo el mundo tristísimo. ¡Esfera, recientísima esfera
que no podemos besar aunque queramos, perla de   20
amor inmensa caída de nosotros, de un astro, del vacío, del diminuto espacio del corazón más niño y escondido; del infinito universal que está en una garganta palpitando! ¡Oh muerte![15]. ¡Oh amor del mal,
del bien, del lobo y del cordero; de ti, rojo callado que   25
creces monstruoso hasta venir a un primer plano, darme en la frente, destruirme! Soy largo, largo. Yazgo
en la tierra, y sobro. Podría rodearla, atarla, ceñirla,
ocultarla. Podría ser yo su superficie. Cubriéndola,
¡qué infame ropa rueda en el espacio! ¡Qué chaqueta   30
callada, qué arrugas entre risas de vacío va girando o
mintiendo bajo el yeso polar de la Luna, bajo la máscara más pálida de un payaso agorero que no tiene su
gorro de franela! Que está mintiendo todos sus largos
muertos ya de tela. Oh amor, ¿por qué no existes más   35
que en forma de trapecio? ¿Por qué toda la vacilación
se convierte en dos rodillas columpiadas (de carne,
voy a besarlas), mondas, desguarnecidas de calor, cal-
vas para mis dientes que rechinan? ¿Por qué dos huesos largos hacen de cuerdas y sostienen a un ángel   40
niño, redondo, mecido, que espera saltar luego a los
brazos o deshacerse en siete mariposas que sean siete
miradas en unos grandes ojos femeninos?

   Pero no importa, ¡qué importa! Tengo aquí un pájaro en mis manos. Lo aprieto contra mi seno, y sus   45

---

[15] L. A. de Villena (*op. cit.*, págs. 215-18) analiza este pasaje (hasta
«en el espacio») de origen ducassiano.

19. En OC, *recentísima* (errata).
29-30. En PT1, *superficie. ¡Qué.*
31. En PT2 y PTL, *arrugas, entre; en* PT1, PT2 y PTL, *vacío, va.*
39. En PT2 y PTL, *dientes, que.*
45. En PT1, *seno y.*

plumas rebullen, son, están, ¡las tengo! Una a una voy
a quitarme todas mis espinas. Una a una, todas las
fundas de mi vida caerán. ¡Serpiente larga! Sal. Rodea el mundo. ¡Surte! Pitón horrible, séme, que yo me
sea en ti. Que pueda yo, envolviéndome, crujirme, 50
ahogarme, deshacerme. Surtiré de mi cadáver alzando mis anillos, largo como todos los propósitos arti-
culados, deslizándome sobre la historia mía abando-
nada, y todos los pájaros que salieron de mis deseos,
todas las azules, rosas, blancas, tiernas palpitaciones 55
que cantaban en los oídos, volverán a mis fauces y des-
tellarán con líquido fulgor a través de mis miradas
verdes. ¡Oh noche única! ¡Oh robusto cuerpo que te
levantas como un látigo gigante y con tu agudo diente de perfidia hiendes la carne de la luna temprana! 60

---

47. En PT1, *una todas*.
50. En PT1, *yo crujirme*.

LA FORMA Y NO EL INFINITO*

Las rosas blancas, las de metal pasado, las que oscurecen los ojos azules sin las marismas, encantan tar-
díamente la llegada de la noche. Están entre los labios, pero no se notan. Oscurecen las yemas más re-
motas, sin que se sospeche. Tienen un perfume de 5
frente, de grato escorzo de memoria, de aquello que
pasó, que ya está ido, que era lo mismo exacto pero
no se mide.

Cuando está cayendo la tarde no se nota en los ojos
la misma rama curva que llega de tan lejos, que es- 10
grime su insistencia como una dolorida sordera, como
un gesto de ayer que no se ha retirado en la resaca.
Se besarían pálidas fuentes, bordes de piedra sin el
agua, para sentir nacer el cristalino fulgor, la pacien-
cia premiada, los bellos ojos del fondo que oscurecen 15
un cielo retrasado. Una juntura de noche resbalada
frente a la caída locuacidad sellada, frente a todo lo
que dice despedida sin brillo, encaja su serenidad fu-
gitiva. Llego y me estoy marchando. Soy la noche,
pero me esperan esos brazos largos, sueño de grama 20
en que germina la aurora: un rumor en sí misma. Soy
la quietud sin talón, ese tendón precioso; no me cor-
téis; soy la forma y no el infinito [16]. Esta limitación

---

* Fue publicado por primera vez en Gac. Lit., núm. 75, enero de 1930,
pág. 38, con el título «Tino sin lágrima». Con el mismo título, después
corregido a mano por el autor, aparece en PT1.

[16] *Soy la forma y no el infinito. Esta limitación...* Al citar este largo
trozo, D. Puccini (*op. cit.*, págs. 18-19) subraya los núcleos semánticos
que polarizan la escritura del poema: el motivo de la autodefinición y el

3-4. En PT1, *labios pero.*
22. En PT1, *precioso, no.*

de la noche cuando habla, cuando aduce esperanzas o
sonrisas de dientes, es una alegría. Acaso una pena. 25
Una cabeza inclinada. Una sospecha de piel interina.
Extendiendo nosotros nuestras manos, un dolor sin
defensa, una aducida no resistencia a lo otro se en-
contraría con términos. De aquí a aquí. Más allá, nada.
Más allá, sí, esto y aquello. Y, en medio, cerrando los 30
ojos, aovillada, la verdad del instante, la preciosa certeza de la sombra que no tiene labios, de lo que va a
decirse resbalando, expirando en espiras, deshacién-
dose como un saludo incomprendido.

Besos, labios, cadencias, soledades que aguardan, 35
sienten la última realidad transitoria. Un humo feliz
serviría para dormir los recuerdos. No, no. Se sabe
que el hielo no es piel, que la frontera de todo no cede
ni hiere, que la seguridad es patente. Se sabe que el
amor no es posible. Pulidamente se mira, se ve, se 40
presencia. Adiós. La sombra resbala sobre su previa
elegancia, sobre su helada cortesía sin pena. Adiós.
Adiós. Si existieran corazones, llorarían. Si la sangre
tuviera ojos, las pestañas más lentas abanicarían la
ida. Adiós. No flojea el horizonte, porque puede que- 45
darse. Alardea la húmeda transición de sus rectas, de
su constancia aplomada, de su traslación íntegra. Se
besarían imposibles. «¡Conmuévete! Vacila como una
columna de tela. Tíñete con un rubor de equinoccio.»
Pero los brazos no llegan y el saludo es de uno, de 50
mí, de mí. No de la materia sabida, ni siquiera de su
insobornable belleza. Que dimite.

---

de los «límites», cuyo término, ya presente en AM, se repite a lo largo
del libro (nueve veces sin contar los vocablos afines), así como en toda la
obra de Aleixandre.

29-30. En PT1, *allá nada. Más allá sí;* en PT2, *aquéllo.*
30. En PT1, *Y en.*
41. En OC, *resbala su* (errata).
52. En PT1, *belleza que* (corregido a mano por el autor).

LA IRA CUANDO NO EXISTE

No busquéis esa historia que compendia la sinrazón
de la Luna, el color de su brillo cuando ha ganado su
descanso. La consistencia del espíritu consiste sólo en
olvidarse de los límites y buscar a destiempo la forma
de las núbiles, el nacimiento de la luz cuando anoche-   5
ce. Porque yo me soporto. Habéis oído el cerrar de
una puerta, ese latido súbito que ha quedado sobre-
cogido en vuestros cabellos. No pretendáis verlo convertido en madera, no pretendáis siquiera verlo sepa-
rado de vuestro cuerpo en forma de mariposa negra;   10
ni aspiréis tan siquiera al relámpago cárdeno que
como ensalmo venga a despejar la atmósfera, a poner
claros vuestros ojos. Vuestra frente es de nieve. La he
paseado muchas veces cuando murmurabais mi nombre, pero siempre a traición, porque nunca he conse-   15
guido ver la forma de vuestros labios. Pero en vano
me han dicho que pájaros y peces se entrecruzaban
en silencio, y que su comprobación era fácil. Una
mano de goma, tan ligera que el viento no la sentía
entre sus venas, he deslizado cautamente. Pero no lo   20
he conseguido. En vano un poco de yesca hacía pre-
sumir, con su brillo de fósforo, un poco de sensibilidad en las uñas. Su redondez nativa, la ceguedad ron-
quísima, se arrastraba entre lana en busca del frío, o
acaso de la pluma, o acaso de esa catarata de esterto-   25
res que, envueltos en materia, me habían de anegar

---

1. En PT1, *busques.*
3. En OC, *solo* (errata).
10. En PT1, *vuestro cuero en.*
10-11. En PT1, *negra: ni.*
18. En PT1, *silencio y.*
26. En PT1, *que envueltos en materia me.*

hasta el codo. No lo he sentido. Mil bocas de heno
fresco, mil paladares de mañana he tropezado en mi
camino. Mi brazo es una expedición en silencio. Mi
brazo es un corazón estirado que arrastra su lamen-   30
tación como un vicio. Porque no posee el cuchillo, el
ala afiladísima que después de partirme la frente se
hundió bajo la tierra. Por eso me arrastraré como nar-
do, como flor que crece en busca de las entrañas del
suelo, porque ha olvidado que el día está en lo alto.   35

No me olvidéis cuando os llamo. Sois vosotros los
silencios de humo que se anillan entre los dedos. La
difícil quietud en cruz de vientos. Ese equilibrio misterioso que consiste en olvidarse del sueño, mientras
los anhelos brillan como gargantas.   40

---

28. En OC, *palabras* (posible errata). Apoya la lección *paladares,* presente en todas las otras ediciones, la preferencia del léxico aleixandrino
por la terminología relativa al cuerpo humano, dándose además la cir-
cunstancia de que éste es el único cambio evidenciado por esta edición.

3

SUPERFICIE DEL CANSANCIO*

El que un hombre esté triste como yo no es razón
para que me eches en cara la forma de mi sombrero.
Te lo brindaría al sol, tendido, si te gustase. Pero me
gustan tus ojos, me gustas tú y no es porque me en-
gañes sino porque la campiña ha perdido todos sus ac-   5
cesorios. ¡Esencial! Aquí en la capital es donde mejor
se adivina. Tú eres hermosa como [17] la hoja del almanaque. Día a día lo vengo comprobando. Y no esperes que yo te mienta, porque me duele la caja del pe-

---

* Fue publicado por primera vez en Lit., núm. 8, mayo 1929, págs. 7-9,
junto a «Renacimiento» (el actual «Reconocimiento») y a «El mar no es
una hoja de papel», en una agrupación titulada *Las Culpas Abiertas* (expresión presente en el poema «El mar no es una hoja de papel»). Olvidado por el autor y recuperado con otros tres poemas («Reconocimiento», «Lino en el soplo», «Los naipes usados») por el hispanista Brian
Nield, se publica en CHA, núm. 233, mayo 1969, págs. 457-58. Aleixandre lo incluye en la antología PS. Aparece incorporado en LAV, 1976. Uti-
zo los textos de Lit. en lugar de los de PS, por presentar estos últimos
las mismas erratas de CHA (es probable que Aleixandre no haya vuelto
a la versión original).
[17] La crítica ha señalado en PT y sobre todo en ES el uso aleixandrino
de la fórmula comparativa *beau comme,* ya notada por Breton en Lautréamont: «je ne vois pas des larmes sur ton visage, beau comme la fleur
du cactus» *(Chants de Maldoror,* III).

7-8. En CHA y PS, *de un almanaque.*

cho de tanto almacenar ilusiones. Toda mi sangre vie- 10
ne cantando la misma canción acompañada, reíos,
reíos, de una pandereta. Tan, tan. Tan, tan, tan, tan.
Las rodajas de lata os las serviría yo a todos para que
comulgaseis con mis sentimientos. Pero vosotros te-
néis el pelo rizado, convulso, y parecéis eléctricos. Me 15
resultáis admirables. Inservibles. Desmontados. Sólo
tú, la de siempre, sacas la lengua porque has com-
prendido que le va muy bien al crepúsculo. Con la
punta tocas la pura miel que él te sirve y encuentras
muy endebles todas mis objeciones. No, si no te dis- 20
cuto. ¿Pero no comprendes que empequeñeces la Naturaleza así, con tu servilleta prendida? Luego preten-
derás degustar el café y exigirás en él unos inéditos
puntos, luceros, que no interrumpan su silencio. ¡Ah,
qué doméstica! No me mientas el común, el resoba- 25
do, el ya desleído aguardiente y agua. ¡Ah, qué harto
estoy de amaneceres! Cada hora un manjar, un espíritu. ¡Materialista! Y todo porque te has comprado un
sombrero de paja, pamela italiana, y has sentido crecer todos tus dedos para prolongar la languidez de tus 30
gestos. El aire está poblado de cintas que se enredan
cada vez más a cada ondeamiento de tus manos en
desmayo. A ver, ¿no hay por ahí un jazz? Por de pronto arráncate ese sombrero. Pero tienes las caderas tan
finas que si te estrecho te daré dos vueltas con mi bra- 35
zo. Me desenredo de tu cintura rápidamente, y qué bo-
nito trompo luminoso, vertical, con música. Te amo [18],

[18] *Te amo* [...] *sean de cera.* El largo pasaje poético ha sido comentado
por L. A. de Villena (*op. cit.*, págs. 218-21).

11. En CHA y PS, *canción, acompañada.*
14-15. En CHA y PS, *teneis.*
19. En CHA, *encuentran.*
24. En CHA y PS, *puntos luceros.*
25. En Lit., *que* (errata); en Lit., y CHA *mientes* (posible errata).
33. En CHA y PS, *A ver: no.*

perinola: canta. Todo el paisaje, monocorde, lírico. Tendida, abres los ojos y todos giramos a tu alrededor. Te lo figuras. Hasta la falda de tu vestido conserva no sé qué forma centrífuga, impaciente, y tus muslos parecen de plata. Papirotazo y: ¡clin! Cómo suenas, inhumana. Pero no me beses, que tus labios tan rojos me saben a minio. Ese broche —no te enfades— que llevas sobre el pecho me parece una gota de estaño. Sí, sí, tienes razón: es la hora de volver a casa y de colarnos mientras la puerta se desquijara de aburrimiento. Pero si tú pretendes servirme la cena se callarán todos los ruiseñores. Porque su plumaje es de música y se quedarán hechos calderón de silencio. Tú te columpias sobre mis dudas enseñándome bien las piernas. Si te descuidas me serviré un helado con tu tobillo, porque amo sobre todo la redondez en los párrafos. Aunque sean de cera. ¡No! Nauseabunda hay una bujía encendida no sé por dónde. Vámonos al cuarto de baño. Su decoración aséptica me equilibra. Bruñido, matinal, te entrego unos buenos días de níquel y me zambullo en la cama. Porque estoy triste.

Sí, porque estoy triste. Pero no insistas. El día hoy tiene forma de perol. Irresistiblemente abrumador. Me hastío. Y no saldré hasta mañana. Que me llamen a la hora de las espumas. Al filo de ellas. Y entra tú aquí en mi cuarto, frutal y tersa, porque yo amo sobre todo la pulpa y la mañana sin alcohol es una delicia.

43. En CHA y PS, *beses, que.*
46. En CHA y PS, *razón; es.*

RECONOCIMIENTO*

Cada vez me canso más porque tus mejillas se van po-
niendo más pálidas. No esperes que yo te ame por el
solo valor de tus actos: amor mío, amparo, socorro o
piedad. Nombres en do sobreagudo. Con voz de fal-
sete, no puedo. La garganta gargariza gargarizando
gárgaramente, y no son clavos. Quisiera yo que tu   5
nombre fuera de pluma pero no me hagas cosquillas.
Inútil que nos riamos los dos, porque no conseguire-
mos que llueva. Lágrimas en los ojos, la luz se irisa
pura mentira y me das un beso redondo. Bah, cariño,   10
permíteme que me distraiga con el vuelo de una mos-

---

* Fue publicado por primera vez en Lit. —que seguimos—, núm. 8,
mayo de 1929, págs. 7-9, con el título «Renacimiento»; título, según
L. M. Bourne («El agnosticismo en la poesía de Aleixandre», en *Insula*,
núms. 374-75, 1978, pág. 26), «casi irónico en el contexto de duda que el
poema expresa, y tal vez Aleixandre lo cambia para subrayar este retrato
de sus conflictos». Olvidado por el autor, se publica, siempre con el mismo título, en CHA, núm. 233, mayo de 1969, págs. 458-59. Con leves variantes, que aceptamos, Aleixandre lo incluye en PS como «Reconocimiento». Aparece incorporado en LAV, 1976.

3. En Lit. y CHA, *socorro, o*. En este caso la lección *socorro o*, que aceptamos, está justificada por el uso recurrente de la «o» identificativa en
toda la obra del autor. En PT aparece, en forma directa o indirecta, en
los títulos de los poemas «La muerte o antesala de consulta» y «El crimen
o imposible»; además que en las frases: «Esa sombra o tristeza» («Vida»,
línea 1); «Repentino, o acaso Retrasado, o acaso Inexistente»; «girando
o mintiendo» («Ropa y serpiente», líneas 1-2; 30); «se arrastraba entre
lana en busca del frío, o acaso de la pluma, o acaso de esa catarata» («La
ira cuando no existe», línea 23); «de bestias o de soles» («Lino en el soplo», línea 8); «esperanza o sonrisa de dientes» («La forma y no el infinito», línea 22); «agua o linfa o sueño corredizo»; «el brillo o la ignominia» («El crimen o imposible», líneas 4-47); etc. L. Personneaux (*Vicente
Aleixandre ou une poesie du suspense*, Perpignan Editions du Castillet,
1980, pág. 49) señala en PT la presencia de 4 «o» disyuntivas, 4 copula-
tivas, 9 identificativas. Sobre el uso de la «o» en la obra de Aleixandre,
Véase de C. Bousoño, *La poesía de Vicente Aleixandre*, el cap. XXII: «La
conjunción identificativa o», *op. cit.*, págs. 368-75.

ca: tú siempre tienes razón, aunque el aire esté emparedado. Tu pecho sube, tu pecho baja y hay un excedente de ácido carbónico. La pesantez de los cuerpos es tan torpe que cabecean los pensamientos. Si tuvieras un guante de Suecia quedaría todo arreglado con tacto. Pero la boca se te arruga y el poniente es de lija usada. No puedo. Un pincel de miradas, un golpe de pecho; y: permíteme, Dios mío, que eleve yo a ti mis súplicas. Nos ahogamos de redundancias y el cuarto se hunde de popa. El desacuerdo no siempre es intemperancia. Pero yo te amaba. He amado siempre los veladores de mármol frío. Con las manos calientes he estrujado tu corazón. Y palpitaba sin plumas, recién nacido, infuso de ciencia y lastre. Si yo me lo hubiera comido todo el plomo del ala hubiera sido pura retórica. Me has querido. Y a fuerza de concupiscencia comprendemos que el rezar no es un vicio. Yo amo a Dios sobre todas las cosas[19]. Sobre ti palpitante, también lo amo. Pero en este cuarto tan chico el aire se cansa pronto. Rompe el cristal, que los cuchillos del Occidente se están mellando. Desnuda de medio cuerpo, a la ventana, no le temes a las heridas. Filos te pasan sin agonía, pero te has hecho pura pantalla. A través tuyo alcanzan mi frente e iluminan mi desconfianza. Porque te espero, vuelo de ave, porque eres pura ficción y quisiera esconder mi pensamiento bajo el ala. Dios no me acusa. Truenos, rayos, dominaciones se resuelven en notas largas, en

---

[19] Paráfrasis del mandamiento divino: «Amaré a Dios sobre todas las cosas»; cfr. V. Granados (op. cit., págs. 165-66). L. M. Borne, op. cit., en relación con el tema del agnosticismo aleixandrino, señala, en éste y otros poemas del libro («La muerte o antesala de consulta», «Víspera de mí», «Lino en el soplo», «Del color de la nada», «El alma bajo el agua» y «Hacia el azul»), la recurrencia del nombre de Dios y sus apelativos afines.

19. En Lit. y CHA, *pecho, y;* en Lit., *permíteme Dios mío que.*
32. En Lit. y CHA, *occidente* (con minúscula).

sola nota, y el caudal no se sale de madre. Tu palabra 40
es excelsa, Dios santo, y te lo digo completamente sordo. La tarde, pura gesticulación, me golpea sobre los
omoplatos, y en cambio los antípodas van a amanecer: acude. Un amor no me falta. El amor es lento
como el abanico de los trópicos y me despeina orde- 45
nadamente. Esta brisa calentona es un beso de tu boca
redonda que me das en la mejilla. Chocarrera. ¡Qué
dirán las palmeras! ¡Qué dirán aquellas paredes blancas que se han desplomado súbitamente para que de
su flor abierta surtamos tú y yo dormidos en su coro- 50
la! ¡Qué dirán los músculos que nos hemos arrancado
a manotazos tirándolos sobre las sillas! Ven, Dios
mío, y envíanos tu nuevo olvido. Bautizados sobre la
frente nos miramos con indulgencia. Prístina mañana. No sabemos si existe el aire. Pero la desnudez de 55
los pechos enseña su gesto incalificable. Presiento,
Dios mío, que el fin del mundo no tiene nombre.

52-53. En Lit., *Ven Dios mío y.*
54. En Lit., *Pristina* (errata).

LINO EN EL SOPLO*

Aquí tú y yo sentados, alma, vamos a jugarnos la existencia sin prisa. Tú tienes un pelo muy largo, probablemente ni es tuyo, porque la raíz de la tierra te está contando su secreto. ¡No vale! Tendré que pedirte una mano, besar el ángulo brusco que irrumpe de sombra   5
por las mañanas y reírme mirando la frente más atenta. Tendré que aprender a abrazarte. Una carcajada.
Una risa de números, de bestias o de soles lamina la curiosidad que se inicia. No esperemos la aparición de ninguna sorpresa. Contentémonos con saber que   10
la luz no es evidencia de tus labios, ni caricia de tu pecho, ni siquiera llanto caído de otros planetas. Sepamos, duros, fuertes, sabios, seguros, contener nuestro resultado. Aquí en la frente de otra materia, en ese beso largo que tú me estás pidiendo para subir al   15
cielo, no está el secreto de tus sentidos. Ni de los míos.
Tú, alma, eres el lino claro, el fervor sin pespunte, la clara alegría de una baranda. Un paisaje de brazos despedidos. En cambio, yo. ¿Qué soy yo? Después de todo, yo no soy más que una evidencia. Pero con un   20
compás muy lento. Con una resonancia que bordea las copas de los árboles con miedo de florecer por la noche. Yo no soy una luz en la cima, ni una senda a deshora, ni siquiera esa sonata que se escucha en las raí-

* Fue publicado por primera vez en Gac. Lit. —que seguimos—, número 58, mayo de 1929, pág. 1, con el título «Los naipes usados (poema)». Olvidado por el autor, se publica, siempre con el mismo título, en CHA, núm. 233, mayo de 1969, págs. 460-61. Aleixandre lo incluye en PS con el título «Lino en el soplo». Aparece incorporado en LAV, 1976.

2-3. En CHA y PS, *posiblemente ni.*
6. En Gac. Lit. y CHA, *reirme* (errata).
8. En CHA y PS, *soles ilumina.*

ces más tiernas. Soy, simplemente, una vacilación en 25
la trama. Un segundo de estupor sin arcilla, sin que-
brantamiento del instante, sin dolor de los ojos desnudos. Soy lo que soy: tu nombre extendido. Un perfume de tela no prevista. La triste historia de otra
muerte. Un bostezo que aspira a la nariz divina. Una 30
piel inquebrantable. Un acero que urge. Un aviso a la
gente: Alta tensión, los voltios no se saben.

¡Qué burla! ¡Qué burla, porque podéis tocar y no
moriréis! Podré sacudir los brazos, sacudir la cabeza,
atraer la nube con mis ojos cargados, y no pasará nada. 35
Sacudiré eléctricamente mi pie cargado de razón, y un
roce opaco, despacioso, rumoreará en mi oído: «El
vals embellece los perfiles correctos.» Por Oriente
asomará una sonrisa tan blanca que sentiré mis dientes de harina. ¡Qué bella sangre, qué enloquecida elo- 40
cuencia brotaría de mis ojos si todos los nudos de los
árboles estuvieran crispados! Pero esta amorfa tran-
quilidad de todas las laderas, esta derramada confor-
midad con el presente, esta infame máscara de la elec-
tricidad fundida ya no asusta a los niños. A nadie. Ni 45
siquiera a mí mismo. A mí que vengo auscultando mi
corazón, esperando su vagido de terror, su emergen-
cia repentina en un suicidio a lo alto, en un atrevido
vuelo de despedida convulsa. Para entonces sentir la
descarga verdadera, total, la instantánea comunicación 50
con el centro, el polo de altiveza concentrando las respuestas ensordecedoras. La muerte por fulminación
de Dios entero.

Pero como es inútil. Como sé que no puede ser.
Como sé que el acordeón es un instrumento secunda- 55

41-42. En CHA y PS, *todos los ruidos de los árboles.*
46. En Gac. Lit., *aoscultando* (errata).

rio que vierte un agua lechosa y oblicua, golpeándo-
me tercamente las pantorrillas. Como sé que la gran-
deza es una farsa que acabó anteayer tras de un telón
expectorante, por eso no juego. Y juego. Juego a los
naipes, a las cartas, a las figuras y a los bastos. A ti, 60
alma, que alzas tus manos cartománticas y con un gesto de baile jondo me enseñas tu triunfo: la sota. La
sota jaranera que muestra su copa enturbiada por un
crepúsculo de bayeta. A ti, alma, que humeas agoni-
zando los naipes bajo la grasa ciega que envuelve los 65
colores del pecho. A ti que suspiras ladeando tu bus-
to, enarcando tu cintura, mostrando la falsa argolla
de tu maniquí de mimbre que vuela luego bajo los cielos con un gesto canalla de reservas calientes.

68. En PS, *mimbre, que.*

4

DEL COLOR DE LA NADA *

Se han entrado ahora mismo una a una las luces del
verano, sin que nadie sospeche el color de sus manos.
Cuando las almas quietas olvidaban la música callada,
cuando la severidad de las cosas consistía en un frío
color de otro día. No se reconocían los ojos equidis-
tantes, ni los pechos se henchían con ansia de saberlo. Todo estaba en el fondo del aire con la misma serenidad con que las muchachas vestidas andan tendidas por el suelo imitando graciosamente al arroyo[20].
Pero nadie moja su piel, porque todos saben que el   10
sol da notas altas, tan altas que los corazones se hacen cárdenos y los labios de oro, y los bordes de los
vestidos florecen todos de florecillas moradas. En las

---

* Este poema, de exquisita belleza expresiva, denuncia una estrecha relación (además de con unos versos de «El vals», EL) con la prosa anterior
«La muerte o antesala de consulta», de la cual señalo la analogía del comienzo («Iban entrando uno a uno»), el uso común de las voces imper-
sonales («se saludaban», «se miraba», «se acercaba», etc.) y una serie de
imágenes inconexas y detalladas que afirman una oscura atmósfera de apo-
calipsis y cataclismo final.
[20] Imagen heraclítea, de frecuente uso aleixandrino, ya presente en A:
«La fuente (Ingres)» y «Adolescencia»; véase «Introducción», página 66,
nota 57.

8. En PT1, *la muchachas.*

coyunturas de los brazos duelen unos niños pequeños
como yemas. Y hay quien llora lágrimas del color de 15
la ira. Pero sólo por equivocación, porque lo que hay
que llorar son todas esas soñolientas caricias que al
borde de los lagrimales esperan sólo que la tarde cai-
ga para rodar al estanque, al cielo de otro plomo que
no nota las puntas de las manos por fina que la piel 20
se haga al tacto, al amor que está invadiendo con la
noche.

Pero todos callaban. Sentados como siempre en el
límite de las sillas, húmedas las paredes y prontas a
secarse tan pronto como sonase la voz del zapato más 25
antiguo, las cabezas todas vacilaban entre las ondas
de azúcar, de viento, de pájaros invisibles que estaban
saliendo de los oídos virginales. De todos aquellos seres de palo. Quería existir un denso crecimiento de na-
das palpitantes, y el ritmo de la sangre golpeaba so- 30
bre la ventana pidiendo al azul del cielo un rompimiento de esperanza. Las mujeres de encaje yacían en
sus asientos, despedidas de su forma primera. Y se ig-
noraba todo, hasta el número de los senos ausentes.
Pero los hombres no cantaban. Inútil que cabezas de 35
níquel brillasen a cuatro metros sobre el suelo, sin
alas, animando con sus miradas de ácidos el muerto
calor de las lenguas insensibles. Inútil que los maniquíes[21] derramados ofreciesen, ellos, su desnudez al

---

[21] *maniquíes*. El tema del maniquí, privilegiado por metafísicos y surrealistas, subraya el proceso de cosificación —aborrecido por A. Macha-
do— del yo moderno como reflejo de la pérdida de su identidad. Sobre el
asunto, cfr. A. Sánchez Vidal («Maniquíes de tus lágrimas», en *Luis Buñuel. Obra literaria,* Zaragoza, Hernaldo de Aragón, 1982, págs. 52-53)
quien aún apunta cómo el motivo está presente en Breton, Larrea, Gómez de la Serna.

16. En PT1 y OC, *solo* (errata).
18. En PT2 y PTL, *borde los; en OC, solo* (errata).
19. En PT1, *plomo, que.*

aire circundante, ávido de sus respuestas. Los hom- 40
bres no sabían cuándo acabaría el mundo. Ni siquiera
conocían el área de su cuarto, ni tan siquiera si sus dedos servirían para hacer el signo de la cruz. Se iban
ahogando las paredes. Se veía venir el minuto en que
los ojos[22], salidos de su esfera, acabarían brillando 45
como puntos de dolor, con peligro de atravesarse en
las gargantas. Se adivinaba la certidumbre de que las
montañas acabarían reuniéndose fatalmente, sin que
pudieran impedirlo las manos de todos los niños de
la tierra. El día en que se aplastaría la existencia como 50
un huevo vacío que acabamos de sacarnos de la boca,
ante el estupor de las aves pasajeras.

Ni un grito. Ni una lluvia de ceniza. Ni tan sólo
un dedo de Dios para saber que está frío. La nada es
un cuento de infancia que se pone blanco cuando le 55
falta el respiro. Cuando ha llegado el instante de comprender que la sangre no existe[23]. Que si me abro una
vena puedo escribir con su tiza parada: «En los bolsillos vacíos no pretendáis encontrar un silencio.»

[22] Este pasaje (hasta el final del párrafo) ha sido comentado por C. Bousoño (*op. cit.,* págs. 306-07).
[23] En esta afirmación, y en otras presentes en los versos sucesivos,
A. Amusco («El pensamiento de los presocráticos y Vicente Aleixandre»,
en *Ínsula,* núms. 374-75, 1978, pág. 16) ha señalado la influencia de los
presocráticos, en particular la de Gorgias de Leontini.

41-42. En PT1, *Ni siquiera el área* (corregido a mano por el autor).
48. En PT1, *fatalmente sin.*
53. En OC, *solo* (errata).

FUGA A CABALLO*

Hemos mentido. Hemos una y otra vez mentido siempre. Cuando hemos caído de espalda sobre una extorsión de luz, sobre un fuego de lana burda mal parada de sueño. Cuando hemos abierto los ojos y preguntado qué tal mañana hacía. Cuando hemos estrechado la cintura, besado aquel pecho y, vuelta la cabeza, hemos adorado el plomo de una tarde muy triste. Cuando por primera vez hemos desconocido el rojo de los labios.

Todo es[24] mentira. Soy mentira yo mismo, que me yergo a caballo en un naipe de broma y que juro que la pluma, esta gallardía que flota en mis vientos del Norte, es una sequedad que abrillanta los dientes, que pulimenta las encías. Es mentira que yo te ame. Es mentira que yo te odie. Es mentira que yo tenga la baraja entera y que el abanico de fuerza respete al abrirse el color de mis ojos[25].

¡Qué hambre de poder! ¡Qué hambre de locuacidad y de fuerza abofeteando duramente esta silenciosa caída de la tarde, que opone la mejilla más pálida, como disimulando la muerte que se anuncia, como evocando un cuento para dormir! ¡No quiero! ¡No tengo sue-

---

* Aparece en PT1 con el título «Vecindad de un perfume» (corregido a mano por el autor).

[24] *Todo es,* típico estilema del léxico aleixandrino.

[25] Los dos primeros párrafos del poema han sido objeto de un atento análisis por parte de C. Bousoño (*op. cit.,* cap. XIV, págs. 277-92).

10. En PT1, *mismo que.*
19. En PTL, *durante.*
20. En PT1, *pálido como.*
22-23. En PT1, *sueño! Tengo hambre; tengo hartura.*

ño! Tengo hartura de sorderas y de luces, de tristes
acordeones secundarios y de raptos de madera para
acabar con las institutrices. Tengo miedo de quedar- 25
me con la cabeza colgando sobre el pecho como una
gota y que la sequedad del cielo me decapite definitivamente. Tengo miedo de evaporarme como un colchón de nubes[26], como una risa lateral que desgarra
el lóbulo de la oreja. Tengo pánico a no ser, a que tú 30
me golpees: «¡Eh, tú, Fulano!», y yo te responda to-
siendo, cantando, señalando con el índice, con el pul-
gar, con el meñique, los cuatro horizontes que no me
tocan (que me dardean), que me repiten en redondo.

Tengo miedo, escucha, escucha, que una mujer, una 35
sombra, una pala, me recoja muy negra, muy de terciopelo y de acero caído, y me diga: «Te nombro. Te
nombro y te hago. Te venzo y te lanzo.» Y alzando
sus ojos con un viaje de brazos y un envío de tierra,
me deje arriba, clavado en la punta del berbiquí más 40
burlón, ese taladrante resquemor que me corroe los
ojos, abatiéndome sobre los hombros todas las lásti-
mas de mi garganta. Esa bisbiseante punta brillante
que ha horadado el azul más ingenuo para que la carne inocente quede expuesta a la rechifla de los cora- 45

---

[26] *colchón de nubes;* véase su analogía con la imagen creacionista «plu-
mones de gas» de G. Diego («Epitalamio de los faroles», en *Grecia,* número XXII; y, pues, en *Lola,* 6-7 de junio de 1928). En particular, la expresión «Tengo miedo de evaporarme» es de proveniencia ducassiana
(«Quoique ton corps s'évapore», *Chants,* I).

30. En PTL, *ser, que.*
31. En PT1, *golpees —Eh tú, Fulano— y* (sin comillas).
33. En PT1, *meñique los cinco horizontes.*
34. En PT1, *dardean) que.*
37. En PT1, *caído y.*
37-38. En PT1, *diga: Te [...] te lanzo. Y* (sin comillas).
38-39. En PT1, *alzando sus hombros con.*

zones de badana, a esos fumadores empedernidos que no saben que la sangre gotea como el humo.

¡Ah, pero no será! ¡Caballo de copas! ¡Caballo de espadas! ¡Caballo de bastos! ¡Huyamos! Alcancemos el escalón de los trapos, ese castillo exterior que mal- 50 vende las caricias más lentas, que besa los pies borrando las huellas del camino. ¡Tomadme en vuestros lomos, espadas del instante, burbuja de naipe, descarriada carta sobre la mesa! ¡Tomadme! Envolvedme en la capa más roja, en ese vuelo de vuestros tendo- 55 nes, y conducidme a otro reino, a la heroica capacidad de amar, a la bella guarda de todas las cajas, a los dados silvestres que se sienten en los dedos tristísimos cuando las rosas naufragan junto al puente tendido de la salvación. Cuando ya no hay remedio. 60

Si me muero, dejadme. No me cantéis. Enterradme envuelto en la baraja que dejo, en ese bello tesoro que sabrá pulsarme como una mano imponente. Sonaré como un perfume del fondo, muy grave. Me levantaré hasta los oídos, y desde allí, hecho pura vegetación 65 me desmentiré a mí mismo, deshaciendo mi historia, mi trazado, hasta dar en la boca entreabierta, en el Sueño que sorbe sin límites y que, como una careta de cartón, me tragará sin toserse.

47. En PC, *sangrea*.
52-54. En PT1, *camino. Tomadme* [...] *mesa. ¡Tomadme!*
55-56. En PT1, *tendones y*.
65. En PT1, *oídos y*.
68. En PT1, *que como*.
70. En PT1, PT2 y PTL, *carbón*.

EL CRIMEN O IMPOSIBLE

¡Qué hermoso este primer día del invierno, más negro que el azul de mis ojos! Oscuro, presintiendo la
madriguera inmensa donde se agitan los cuerpos des-
ceñidos, los que, si fueron agua o linfa o sueño corredizo, son hoy ya quieto espejo para sombra, para el   5
aire parado que está húmedo.

Del cielo no desciende aquel inmenso brazo pro-
metido, aquel celeste resultado que al cabo consenti-
ría a la tierra un equilibrio caliente sobre su coyuntura nueva. Calor de Dios. No correrá la sangre como   10
está haciendo falta, no arrasará la realidad sedienta,
que se deja llevar sabiendo de qué labios ya exangües
manó aquel aluvión sanguinolento, aquel color, no de
ira, que puso espantos de oro en las mejillas blancas
de los hombres; que al cabo permitió que las lenguas   15
se desliasen de los troncos de árboles, de aquella verde herrumbre que había alimentado el musgo por los
pechos. Aquellos ojos ciegos cubiertos por una fina
capa de tierra casi en polvo. Pero no se conseguirá
nunca, por más que así cantemos, ese frescor sobre   20
las lenguas vírgenes, ese saber que el día no desecará
la forma de nuestros cuerpos existentes.

Echado aquí por tierra, lo mismo que ese silencio
que nadie está notando, yo espío la palabra que cir-
cula, la que yo sé que un día tomará la forma de mi   25

1. En PTL, *día de.*
4. En PT1, *que si.*
10. En PT1, *No lloverá.*
15. En PT1, *hombres, que.*
19. En PT1, detrás de *polvo,* punto y aparte.

corazón. La que precisamente todo ignora que florecerá en mi pecho. Si beso la corteza de la tierra, si os miro, no derraméis más lágrimas fundidas porque no se me ve ese halo por los labios, ese resplandor que todos esperabais que al cabo me consumiera, deján- 30 dome convertido en un proyecto abandonado. Porque no tengo memoria. Porque no me acuerdo si el día es antes que la noche, o si la luz me sale humildemente de la axila, queriendo ser perdonada, queriendo deslizarse en el plumón de los mil pájaros a que he dado 35 salida sin necesidad de llamarlos por su nombre, sin más que comprender que el calor de las mejillas no puede propagarse y que hay que dejar perderlo abiertamente por los horizontes. Estrella de mi mando, de mi deseo, que me perdona que yo tenga los ojos ce- 40 rrados, que renuncie a saber de qué color nacerá el día de mañana. Porque el misterio no puede encerrarse en una cáscara de huevo, no puede saberse por más que lo besemos diciendo las palabras expresivas, aquellas que me han nacido en la frente cuando el sueño. 45

¡Si vierais que este clamor confuso no es mío! Todo por culpa de un cabello rubio, de una piedra imantada que tengo encerrada en esta mano. Acariciar el níquel, acariciar la sombra, el brillo o la ignominia, la preciosa ceguedad de no preguntar por el camino; aca- 50 riciar al cabo la respuesta, justamente cuando acaba de ser pronunciada, cuando aún lleva la forma de los dientes... Por eso, no quiero vestirme. He compren-

33. En PT1, *noche o.*
34. En PT1 y PT2, *del axila.*
40. En PTL, *perdone.*
43. En PT1, *saberse, por.*
50-51. En PT1, PT2 y PTL, *camino, acariciar.*
52. En PT2, *aun.*

dido que no se desea mi muerte, que un proyectil disparado acaba siempre tomando la forma de un niño, 55
de un infante que aterriza y que acaricia el verde soñoliento, con la misma inocencia con que el puñal pregunta el nombre de las vísceras que besa.

sleepy

---

58. En PT1, *vísceras que toca* (corregido a mano por el autor).

EL MAR NO ES UNA HOJA
DE PAPEL*

Déchirante infortune!
ARTHUR RIMBAUD[27]

Lo que yo siento no es el mar. Lo que yo siento no
es esta lanza sin sangre que escribe sobre la arena. Hu-
medeciendo los labios, en los ojos las letras azules du-
ran más rato. Las mareas escuchan, saben que su rei-
nado es un beso y esperan vencer tu castidad sin luna   5
a fuerza de terciopelos. Una caracola, una luminaria
marina, un alma oculta danzaría sin acompañamien-
to. No te duermas sobre el cristal, que las arpas te ba-
jarán al abismo. Los ojos de los peces son sordos y golpean opacamente sobre tu corazón. Desde arriba me   10
llaman arpegios naranjas, que destiñen el verde de las
canciones. Una afirmación azul, una afirmación en-
carnada, otra morada, y el casco del mundo desiste de
su conciencia. Si yo me acostara sobre el mar, en mi
frente responderían todos los corales. Para un fondo   15
insondable, una mano es un alivio blanquísimo. Esas
bocas redondas buscan anillos en que teñirse al instante. Pero bajo las aguas el verde de los ojos es luto.
El cabello de las sirenas en mis tobillos me cosquillea

---

* Fue publicado por primera vez en Lit., núm. 8, mayo de 1929, páginas 9-10.
   [27] Epígrafe. En Lit., *A. Rimbaud*. La cita es el final del poema «L'Im-
possible», de *Une Saison en Enfer;* cfr. L. A. de Villena *(op. cit.,* pág. 155,
nota 1).

   6. En Lit., *terciopelo.*
   11. En Lit. y PT1, *naranjas que.*
   14. En Lit., *mar en.*
   16. En Lit. y PT1, *insondable una.*

como una fábula. Sí, esperad que me quite estos gra- 20
bados antiguos. Aguardad que mi nombre escurra las
indiferencias. Estoy esperando un chasquido, un roce
en el talón, un humo sobre la superficie. La señal de
todos los tactos. Acaricio una melodía: qué hermosísimo muslo. Basta, señores: el baño no es una cosa pú- 25
blica. El cielo emite su protesta como un ectoplasma.
Cierra los ojos, fealdad, y laméntate de tu desgracia.
Yo soy aquel que inventa las afirmaciones de espaldas, el que acusa al subsuelo de sus culpas abiertas. El
que sabe que el mar se levantaría como una lápida. 30
La sequedad de mi latrocinio es este vil abismo en que
se revuelven los gusanos. Los peces podridos no son
una naturaleza muerta. El mar vertical deja ver el horizonte de piedra. Asómate y te convencerás de todo
tu horror. Apoya en tus manos tus ojos y cuenta tus 35
pensamientos con los dedos. Si quieres saber el destino del hombre, olvídate que el acero no es un elemento simple.

20. En Lit., *Sí: esperadme;* en PT1, *esperadme.*
21. En Lit. y PT1, *mi hombro.*
25. En las otras ediciones, *señores, el.*
27. En PT1, *fealdad y;* en Lit., *de otra desgracia.*
28-29. En Lit., *espaldas. El.*
35. En Lit., *Apoya en tus ojos las manos.*
37. En Lit. y PT1, *hombre olvídate.*

SOBRE TU PECHO UNAS LETRAS*

Sobre tu pecho unas letras de sangre fresca dicen que
el tiempo de los besos no ha llegado[28]. Qué extendida
estás esperando la caricia dudosa, la del mar que na-
vega persiguiéndote, el que acabará rescatando tu largo cuerpo, dejando mis dos labios insensibles.   5

Una tarde de otoño, un núbil corazón que chorrea
la luz cuando no hay ojos se va pidiendo oscuridad
sin roces, almas que no conozcan los sentidos. Para
aguardar la hora, la celestial renuncia que borra las
miradas, esa seguridad patente que consiste en per-   10
der súbitamente todas las bocas que se asoman. La li-
sura, esta reserva del espíritu, ya no podrá convocar
un damasco callado, esa sutil oreja blanda en pulpa sobre la que reposar para el sueño, sobre la que musitar
la forma de los besos cuando no hablan.   15

Escúchame, corazón despertado. Aprende a recordar uno a uno el color del cabello, aquella sed de se-
quedades vivas, aquel sentir entre los dientes la forma del agua que no rompe. Escúchame. Yo soy la razón muerta que ha amanecido esta mañana por Orien-   20
te, despidiéndose de unos brazos de nieve que repre-
sentaban la noche resplandeciente, la llamarada in-
cauta que surge de la boca partida de una vena cuando me abro, cuando tapo mis ojos para no ver todas

---

* No figura en PT1.

[28] La expresión recuerda los versos muy conocidos del poema «Vida»,
DA («Un pájaro de papel en el pecho / dice que el tiempo de los besos
no ha llegado»); cfr. P. Gimferrer, «Mis encuentros con Vicente Aleixandre», en *Destino,* Barcelona, 1968, núm. 1599; y, aun, V. Granados
(*op. cit.,* pág. 199).

las suplicantes. Fuentes del día, acabad ya vuestra his- 25
toria. Tendeos una a una si es que queréis que una
voz repercuta en la entraña, en la oquedad donde dedos crispados van pronunciando el nombre de la vida,
buscando el tierno caramelo perdido. Buscad dónde
los ojos puedan estar. Dónde podré yo estrecharos sin 30
que el mundo lo ignore.

Amadme. Este pedal oculto repite siempre la nota
do, do mío. Hermoso cuerpo, látigo descansado, ceñi-
do ciego que no buscas por qué el cielo es azul y por
qué el color de tus ojos permanece entreabierto aun 35
cuando llueva dulcemente sobre mis velos. Las formas
permanecen a pesar de este sol que seca las gargantas
y hace de plata los propósitos que esta mañana na-
cieron frescos, a la ternura de las opresiones. «¿Me
amas?», preguntaban, estrechando, los cinco corazo- 40
nes no mudos. «¿Me amas?» Y se habían olvidado de
sí mismos, hasta perder su forma, hasta quedar como
una sábana la virgen duda de sí misma, la que ama-
nece todas las mañanas con sus labios azules recién
creados por la dicha. 45

5

EL SOLITARIO*

(Juego de naipes) [29]

Una cargazón de menta sobre la espalda, sobre la caída catarata del cielo, no me enseñará afanosamente a buscar ese río último en que refrescar mi garganta.

(Giboso estás, caminando camino de lo descaminado, esperando que los chopos esbeltos te acaricien la rencorosa memoria, mostrando la plata nueva sin la corteza de ellos, hechos los ojos azules suspiro sin humo que merodee. No, no crezcas doblándote como una ballesta que atirante la interjección de los dientes

5

---

* Fue publicado por primera vez en LCV, número 2, abril de 1933, págs. 51-55.
[29] El subtítulo entre paréntesis me ha sido sugerido por el propio Aleixandre en nuestro último encuentro en Madrid (abril de 1984), a fin de una mayor comprensión del texto por parte de los lectores extranjeros. La misma sugerencia fue dada a A. Duque Amusco, como él refiere («Carta a Gabriele Morelli: Sospechas y evidencias», en *Ínsula*, núms. 458-59, 1985, pág. 8). C. Bousoño (*op. cit.*, págs. 266-68, 274-76 y 321-24) analiza varios pasajes del poema.

4. En LCV, *estás tú caminando;* en PT1, *estás tú, caminando;* en PT2, *está tú, caminando.*
7. En LCV, *éllos.*
8 En LCV, PT1 y PT2, *doblándote, como.*

ocultos, paladeando la sombra de los pelos caídos so- 10
bre el rostro. No ocultes tus malas pasiones, mientras buscas la linfa clara, inocente, final, en que bañar
tu feo cuerpo.)

Aquí hay una sombra verde, aquí yo descansaría si
el peso de las reservas a mi espalda no impidiese a 15
la luna salir con gentileza, con aérea esbeltez, para
quedar sólo apoyada en una punta, con los brazos ex-
tendidos sobre la noche. Pero me siento, definitivamente me siento. Alardeo de barbas foscas y entre-
mezclando mis dedos y mis rencores evoco el vino 20
rojo que acabo de dejar sobre las pupilas dormidas de
una muchacha. He aprovechado su sueño para esca-
parme de puntillas, presumiendo que la madrugada
sería hermosa como un cuerpo desollado con jaspe,
veteado de ágatas transitorias. Sólo me ha faltado, 25
para que la hora quedase aún más bella, hacerle unas
estrías con mis uñas. Déjame que me ría sencillamente lo mismo que un cuentakilómetros de alquiler. No
quiero especificar la distancia. Pero no puedo por menos de reconocer que mis manos son anchas, grandí- 30
simas y que caben holgadamente cuatro filas de des-
filantes. Cuatro (sin recosidos) cintas de carretera.
Pero aquí no las hay. Sólo un prado verde recogido
sobre sí mismo, que me contiene a mí como un lunar

11-12. En LCV, *pasiones mientras.*
12. En PT1, *final en.*
17. En OC, *solo* (errata).
19. En LCV, *foscas, y.*
20. En LCV, *rencores, evoco.*
25. En OC, *Solo* (errata).
25-26. En LCV, *faltado para.*
26. En PT1, *la horas;* en PT2, *las horas;* en LCV, *bella hacerle.*
32. En LCV, *Cuatro, sin recosidos, cintas.*
33. En OC, *Solo* (errata).
34. En LCV y PT1, *mismo que.*

impresentable. Soy la mancha deshonesta que no pue- 35
de enseñarse. Soy ese lunar en ese feo sitio que no se
nota bajo las palabras.

(Por eso estás esperando tú que te llegue la hora
de sacar la baraja. La hora de observar el brillo acei-
tado de la luna sobre la cara redonda, cacheteada, de 40
un rey arropado. Sobre los terciopelos viejos una corona de lirismo haría el efecto de una melancolía re-
trasada, de un cuento a la oreja de un anciano sin memoria. Por eso se te ladean las intenciones. Por eso
el rey también sabe sesgar su espada de latón y co- 45
noce muy bien que las cacerolas no humean bajo sus
pies, pero hierven sobre las ascuas, aromando los fo-
rros de guardarropía. Nos cuesta mucho la seriedad
de los bigotes y de las barbas trémulas bajo las lunas.)

En vista de todo (¡la hora es tan propicia!), haré 50
un solitario, olvidándome de mi joroba. Por algo dicen que la noche, cuando está acabándose, besa la espalda apolínea. Por algo me he traído yo esta reserva
de sonrisas para saludar los minutos. Haré mi solitario. La baraja está hoy como nunca. ¡Qué fluida y zig- 55
zagueante, qué murmuradora, casi musical! Si la beso,
pareceré un disco de gramófono. Si la acaricio, no me
podré perdonar una sonata ruidosa, con un surtidor
en el centro que caracolee casi en la barbilla. Suspira-
ré como un fuelle dignísimo. Empezaré mi solitario. 60

Cuatro reyes, cuatro ases, cuatro sotas hacen la felicidad de una mano, arquean los lomos de las mon-

---

40. En LCV, *cacheteada de.*
47. En PT1, *pies pero.*
50. En LCV, *propicia!) haré.*
55. En LCV, PT2, PS y PC, *flúida.*
56-57. En LCV y PT1, *beso pareceré.*
57. En LCV, *acaricio no.*

tañas, mientras el sol de papel de plata amenaza con rasgarse sin ruido. Los reyes son esta bondad nativa, conservada en alcohol, que hace que la corona recaiga 65 sobre la oreja, mientras el hombro protesta del abrigo de todo, del falso armiño que hace cuadrada la figura. La mejilla vista al microscopio no invita más que a la meditación de los accidentes y al pensamiento de cómo lo esencial está cubierto de púas para 70 los labios de los hijos; de cómo la aspereza de los párpados irrita la esclerótica hasta deformar el mundo, incendiado de rojo, quemándose sin que nadie lo perciba.

Si los reyes soltasen ahora mismo la carcajada, yo 75 me sentiría ahora mismo aliviado de mi cargazón indeclinable. Y recogería las coronas caídas para echarlas en el hogar que no existe, dulce crepúsculo que dibujaría mi reino con sus lenguas que el cartón alimentaría, apareciendo las palabras que certificarían mi altura, 80 los frutos que están al alcance de la mano.

Pero aduzco mi as —¡qué hacer!— que antes de caer a tierra, a su sitio, brilla de ópalo turbio, manejando su basto sin asustar a los árboles. Lo pongo sólo para que cumpla su destino. Su verde es antiguo. Se 85 ve que no es que haya retoñado, sino que se quedó así recién nacido, con esa falsa apariencia de juventud, mostrando sus yemas hinchadas en una esterilidad enmascarada. Por más que las mujeres lo besen, esos botones no echarán afirmaciones que se agiten en aba- 90

---

66. En LCV, *oreja mientras.*
75. En LCV, *carcajada yo.*
79. En PT1, PT2, PTL y PS, *lenguas, que.*
82. En LCV, *hacer!—. que.*
84. En PT2, PTL, PS y OC, *solo* (errata).
89. En PT1, *besen esos.*

nico. De ninguna manera su copa acabará sosteniendo el cielo. Pero tampoco tema la luna que su roma punta pueda herir la susceptibilidad de su superficie. Sepultado bajo la grasa que borra las arrugas y abrillanta su escondida calidad de yesca inusada, el as de 95 bastos rueda por los bolsillos sin poder silbar siquiera, ahogándose en la ronquera opaca que no se percibe, entre las uñas negras de los que murmuran.

Entre todos, finalmente, la señorita, la trémula, la misma, sí, la insostenible sota nueva, recién venida, 100 que yo manejo y pongo en fila para completar. Finalmente, tengo ya mi solitario. He aquí la última figura, que sostiene su pecho con brocados para que las intenciones no rueden hasta el césped y alarguen su figura, que se pueda clavar en la tierra blanca como 105 un rosal enfermo, donde los ojos no acabarían de abrirse nunca, siempre de una rosa inminente bajo su azul empalidecido. El cuello lento no podrá troncharse nunca por más que los besos le lleguen. ¿Sucumbiré yo mismo? Acaso yo pondré los labios sin miedo 110 a la espina más honda, sin miedo al fracaso de papel, que es el más barato de todos, el que puede lograrse siempre, sin más que guardarse la carta para lo último. Acaso yo terminaré echándome sobre la tierra y cerrando los ojos, al lado de mi baraja extendida. ¡Oh 115 viento, viento, perdóname estas barbas de hierba, esta húmeda pendiente que como un alud me sube hasta los ojos cerrados! ¡Oh viento, viento, oréame como al

99-100. En LCV, *sí, la misma, la.*
101-102. En LCV y PT1, *Finalmente tengo.*
103. En PT1, *brocados, para.*
105. En LCV, *figura en punta por abajo que.*
105-106. En LCV, *blanca, como un rosal enfermo donde.*
109. En LCV, *nunca, por.*
110. En LCV, *labios, sin.*
116. En PT2 y PTL, *yerba.*

heno, písame sin que yo lo note! ¡Bárreme hasta ensalzarme de ventura! ¿Por qué me preguntas en el costado si la muerte es una contracción de la cintura? ¿Por qué tu brazo golpea el suelo como un látigo redondo de carne? Ya los naipes no están. ¡Oh soledad de los músculos! ¡Oh hueso carpetovetónico [30] que se levanta como los anillos de una serpiente monstruosa!

---

[30] Curioso, el término parece tener conexiones (o coincidencias) con la expresión idiomática de García Lorca, «colodra carpetovetónica», con la cual el granadino apodaba a José María Hinojosa. Véase: «Introducción», pág. 33, nota 28.

120. En LCV y PT1, *ventura*.

6

HACIA EL AMOR SIN DESTINO*

Siento el silencio como esa piedra blanca que resbala
sobre el corazón de las madres, y no tengo fuerzas
más que para perdonaros a todos el mal que me habéis hecho, sin ignorarlo, con la forma de vuestra
sombra cuando pasabais.   5

Sois todos tan claros, transparentes como la yedra,
y yo puedo uno a uno prescindir de mis sentimientos,
que no me hacen ya cosquillas con ese cono doloroso
que me he quitado de los ojos. La avispa dulce, la sin
igual dulzura que apagaba la luz bajo la carne cuando   10
daba la sensación del dolor dispensando la muerte[31],
ese minuto tránsito que consiste en firmar con agua
sobre una cuartilla blanca, aprovechando el instante
en que el corazón retrocede.

Es tarde para pensarlo. Siempre esta sensación de   15
tardanza ha dado lugar a que creciese una rosa sobre

---

* Aparece en PT1 con el título «Hacia el mar sin destino» (corregido
a mano por el autor).
[31] *dispensando la muerte.* En «El vals», EL: «que dispensará la muerte
diciendo»; cfr. V. Granados (*op. cit.*, pág. 201).

4. En PT1, *hecho sin.*
6. En PT1, PT2 y PTL, *hiedra.*

un hombro, a que un labio volase sin oírse, a que tu realidad viva se desvaneciese como un aire que se eleva.

La caduca forma del papel sobre el que se apoya tiernamente la mejilla no engaña, suspira y no responde, oculta la armazón de sus huesos, la instantánea mariposa de níquel que late bajo su superficie encerada. No me preguntes más. Descansa. Evoca la salvación de las manos, ese esmerado vuelo en que la arribada está prevista a unos montes de terciopelo, donde los ojos podrán al cabo presenciar un paisaje caliente, una suave transición que consiste en musitar un nombre en el oído mientras se olvida que el cielo es siempre el mismo.

Duerme, muchacha. Aguza la calidad de tus uñas, mientras se embota la sensibilidad de tu pecho distraído en convertirse en una bahía limitada, en una respiración con fronteras a la que no le ha de sorprender la luna nueva.

Tienes un rostro abandonado. Esa laxitud no es la de tus miembros. Esa quietud que proclama con su signo la vigencia del día, es una pura mentira que se evade, que no puede irse y que acaba convirtiéndose en vegetal. No permanezcas, crece pronto. No me mientas una lágrima de mercurio que horade la tierra y se estanque, que no acierte a buscar la raíz y se contente con los labios, con esa dolorosa saliva que resbala y que me está quemando mis manos con su historia, con su brillo de cara reinventada para morir en el arroyo que ignoro entre las ingles.

20
25
30
35
40
45

17. En PT1, PT2 y PTL, *oírse;*.
21. En PT1, *mejilla, no.*
28. En OC, *sueve* (errata).
32-33. En PT1, *pecho, distraído.*

FÁBULA QUE NO DUELE[32]

Al encontrarse el pájaro con la flor se saludaron con el antiguo perfume que no es pluma, pero que sonríe en redondo, con el alivio blanco para el cansancio del camino. Echaron de menos al pez, al entero pez de lata que tan graciosamente bordaba preguntas, enhe- 5 brándose en todos los cantos, dejándolos colgados de guirnaldas, mientras la rosa abierta crecía hasta hacerse más grande que su alma. Estaba tan alto el cielo que no hubieran llegado los suspiros, así es que optaron por amarse en silencio. Tienes una cadencia tan 10 fina, que ensordecen los pétalos de doloroso esfuerzo para conservar sus colores. Tienes tú, en cambio, un color en los ojos, que la luz no me duele, a pesar del cariño tan tierno con que tus dedos vuelan por el perfume. Ámame. Ámame. El pájaro sonreía ocultando 15 la gracia de su pico, con todas las palpitaciones temblando en las puntas de sus alas. Flor, flor, flor. Tu caramelo agreste es la reina de las hadas que olvida su túnica, para envolver con su desnudez la armoniosa música de los troncos pulsados. Flor, recórreme con 20 tu escala de sonrisa, llegando al rojo, al amarillo, al decisivo «sí» que emerge su delgadez cimera, sintiendo en su cúspide la esbelta savia olvidadiza del barro que le sube por la garganta. Canta, pájaro sin fuego que tienes de nieve las puntas de tus dedos para mar- 25

---

[32] L. A. de Villena (*op. cit.*, pág. 172, n. 1) señala el mismo tono ingenuo presente en el cuento «The nightingale and the rose» («El ruiseñor y la rosa») de Oscar Wilde.

2. En PT1, *pluma pero.*
8-9. En PT1, *cielo, que.*
13. En PT1, *duele a.*
24. En PT1, *su garganta.*
25. En PT1, *dedos, para.*

car la piel con tu ardiente guitarra breve, que hormiguea en los ojos para las primeras lágrimas de la niñez. Si cantas te prometo que la noche se hará de repente pecho, suspiro, cadencia de los dientes que recuerden en la sonrisa la luz que no dañaba, pero que 30 iluminaba la frente, sospechando el desvestido ardiente. Si cantas te prometo la castidad final, una imagen del monte último donde se quema la cruz de la memoria contra el cielo, que aprieta en sus convulsiones el perdón de las culpas que no se pronunciaron, que 35 latían bajo la tierra. ¡Flor, flor, flor, aparenta una sequedad que no posees! Cúbrete de hojas duras, que se vuelven mintiendo un desdén por la forma, mientras el aire cae comprendiendo la inutilidad de su insistencia, abandonando sus alturas. El ruiseñor en lo alto 40 no parlamenta ya con la luna, sino que busca aguas, no espejos, recogidas sombras donde ocultar el temblor de su ala, que no resiste, no, el agudo resplandor que la ha traspasado. La verdad es una sola. La verdad no es perdón, es evidencia, es destino que ilumi- 45 na las letras sin descarga, de las que no se pueden apartar los ojos. Al fin comprendes, cuando ya es tarde para salvar la vida a ese ruiseñor que agoniza. Cuando la flor te ha dicho adiós, ultimando la postura de su corola ante la indiferencia de tu frente ence- 50 rrada. Cuando el perfume te ha rondado sin que las yemas de los dedos acariciasen su altura, que no ascendía más que a las rodillas. Cuando tú sólo eres un tronco mutilado donde tu pensamiento falta, decapitado por el hacha de aquel suspiro tenue que te rozó 55 sin que tú lo supieras.

33-34. En PT1 y PT2, *memoria tachada contra.*
38. En PT1, *vuelvan.*
52-53. En PT1, *no llegaba a las rodillas* (corregido a mano por el autor); en OC, *solo* (errata).

DEL ENGAÑO Y RENUNCIA*

No eres tú la misma que siempre me ha rodeado ocultándome el camino más claro para llegar al fondo. No
eres tampoco la emancipación a que asirse, cuando pasan las brumas en viaje lento de superficie, rozando
las mejillas como una confesión de pereza, entre fal- 5
sos terciopelos y sonrisas ocultas de desfallecimiento.
No pretendas envolverme en tus sutiles perfidias
mostrándome la mano ensortijada en vedijas de viento, mientras tus ojos fulguran sin sueño, descubrien-
do el esqueleto frío y seco de su cielo profundo enne- 10
grecido. En el fondo de ti misma los pensamientos ya-
cen bajo las piedras, ocultos como vidrios de color ignorados, y yo siento sobre mi piel sus destellos como
aparentes confesiones de un mañana vecino, del hallazgo precioso que me hará romper en sollozos muy 15
fuertes, sobre la tierra abierta a mis culpas más claras. A tu hermosa agonía sin latido. Tú eres, bellísima, como el hermoso monte que se levanta de hierba
superflua, escondiendo su rudimentario soporte.
Como esas claras lagunas que mienten a los picos de 20
los pájaros un licor para su bello plumón, y que luego
no son más que pechos desgarrados, pobre sangre cuajada que se resquebraja en grietas al encuentro de las
sedientes suplicaciones. ¡Oh bello encantamiento!
Magnífica soledad de mi cuerpo aterido sobre la base 25
recia de la pulimentada realidad, de la impenetrable
tirantez de la luna pasajera, que permanece y no rifa
su hostilidad para nadie, sino que se me entra por el

* No figura en PT1.

17-18. En PT2 y PTL, *eres bellísima como.*
18. En PT2 y PTL, *yerba.*

bolsillo más fácil, sajándome con su disco ligero una
exacta cantidad de mí mismo, la justa para perder la 30
preocupación de la aurora y pensar que la estrella es
un mar ya sin pájaros que radica en el fondo, como
un árbol que floreciese en silencio. ¡Oh hermosura de
este destino de sombra y luz!

Yo comprendo que el destino pasajero es echar 35
pronto las yemas al aire, impacientar el titilar de las
luces ante la esperanza del fruto redondo que ha de
albergarse en el aire, para que éste le acaricie sus fronteras, solamente sus límites, sin que su hueso dulce en-
treabra su propia capacidad de amor, blanco, lechoso, 40
ignorante, y nos muestre sus suspicacias como una in-
terrogación que creciese de alambre hasta rematar su
elástica curva. ¿Dónde mi nitidez, mi fondo de verdad, mi bruñido surgir que gime casi en arpa al eólico
sollozo de la carne; sin brazos, pero con su lata viva 45
rematada en su signo, enroscada a sí misma como la
pensativa quietud de la cobra que ha olvidado la fuerza de sus músculos? Yo tengo un brazo muy largo,
precisamente redondo, que me llega hasta el cuello,
me da siete vueltas y surte luego ignorando de dónde 50
viene, recién nacido, presto a cazar pájaros incogibles.
Yo tengo una pierna muy larga, que arranca del tronco llena de viveza, y que después de darle, como una
cinta, siete vueltas a la tierra, se me entra por los ojos,
destruyéndome todas las memorias, construyéndome 55
una noche quieta en la que las sendas todas han con-
vergido hasta el centro de mi ombligo. Yo soy un aspa
de caminos que me lleva a mí mismo, hincándose en
tierra como una flor que creciese hacia abajo, dejando
el cielo venturoso en la nuca. Soy, sí, soy la esperanza 60
de luz en mi ser, como el caballo que levanta con sus

38. En OC, *este* (errata).

cascos el camino roto en fragmentos que ya no podrán volver a encontrarse. Si termino ocultando este
beso último a la sombra plana que está aquí tendida,
no me vais a creer. Dejadme entonces que a la luz de 65
la roja candela crepitante yo recorra los límites con
mis labios, repasando las solas fronteras a que puedo
alargarme, los filos que no me hieren de este hermoso cuerpo acostado de dos dimensiones.

Acabaré besando las rodillas como un papel para 70
cartas con luto en que escribir mi renuncia, mi despedida última, que no flamee como bandera, sino que
permanezca acostada hasta que se seque bajo la brisa
templada que estoy sintiendo crecer en las raíces de
mis miradas sin punta. 75

_____

69-70. En PT2, *dimensiones. Acabaré* (en la misma línea).

ANSIEDAD PARA EL DÍA

Esta conciencia del aire extenso ocupa su sitio justo,
su centímetro sobre mi pecho alerta. El campo está
vencido y si canto no podré rematar mi canción que
se mueve bajo el agua. Un pez dormido en el regazo
no puede sonreír, por más que se deslía sobre su len-   5
gua fría la imagen ya perdida. Quién pudiera encontrar aquella dulce arena, aquella sola pepita de oro que
me cayó de mi silencio una tarde de roca, cuando apo-
yaba mis codos sobre dos lienzos vacilantes que me
ocultaban mi destino. Una bota perdida en el camino   10
no reza en desvarío, no teme a la lluvia que anegue
sus pesares. Y un hombre que persigue perderá siempre sus bastones, su lento apoyo, enhebrado en la hermosura de su ceguera. Nada como acariciar una cuesta, una cuneta, una dificultad que no sea de carne, que   15
no presenta la nube de metal, la que concentra la elec-
tricidad que nos falta. Por eso es bueno encontrar un
navío. Para bogar, para perder la lista de las cosas,
para que de pronto nos falte el dedo de una mano y
no lo reconozcamos en el pico de una gaviota. Poder-   20
se repasar sin saludo. Poder decir no soy aunque me
empeñe. Poder decir al timonel no hay prisa, ¿sabe
usted?, porque la luz no desciende en forma de naipes y no tengo miedo de marrar mi triunfo. Puedo tener un lujo, el de la superficie, el de esta burbuja, el   25
de aquella espina, parece mentira, que viene bogan-
do, que no encuentra la carne que le está destinada.
Estoy perdido en el océano.

---

2. En PT1, *centímetro, sobre.*
16. En PT1, *presienta siempre la.*
22-23. En PT1, *sabe usted* (sin interrogaciones).
23-24. En PT2, PTL y PC, *naipes, y.*

156

Porque no me contemplo. Podéis enseñarme esa
ola gigantesca hecha sólo de puños de paraguas, esa   30
ruidosa protesta sin resaca. No me asombro, conservo mi nivel sobre el agua, puedo todavía mojar mi lengua en el subcielo, en el azul extático. Pero si llegas
tú, el monstruo sin oído que lleva en lugar de su palabra una tijera breve, la justa para cortar la explica-   35
ción abierta, no me defiendo, me entrego a sus aletas
poderosas. ¿Qué falsa alarma ha rizado las gargantas
de las sirenas húmedas que yo solo presiento en forma de lijas traspasadas, dormidas sobre su silencio?
Una orilla es mi mano. Otra mi pierna. Otra es esta   40
canción silvestre que llevo en anillo dentro de mí, porque no quiero jaulas para los canarios, porque detesto
el oro entre los dientes y las lágrimas que no sirven
para abrir otras puertas. Porque voy a romper este
cristal de mundo que nos crea; porque me lo está pi-   45
diendo ese bichito negro que os sale por la comisura
de la boca. Porque estáis muertos e insepultos.

En lugar de lágrima lloro la cabeza entera. Me rueda por el pecho y río con las uñas, con los dos pies
que me abanican, mientras una muchacha, una seca   50
badana estremecida, quiere saber si aún queda la piel
por los dos brazos.

29. En PT1, *Por que.*
30. En PT1, *sola;* en OC, *solo* (errata).
37-39. En PT1, *Qué* [...] *silencio* (sin interrogaciones).
38. En PT1, *húmedas, que.*
40. En PT1, *Otra, esta.*
45. En PT1, *crea, porque.*
51. En PT1, PT2, PTL y PC, *estremecida quiere.*

VICENTE ALEIXANDRE

PASION DE LA TIERRA

POEMAS
(1928-1929)
PRIMERA EDICION ESPAÑOLA

ADONAIS
XXXII
MADRID
1946

Portada facsímile de la primera edición española de *Pasión de la Tierra*.

7

EL MUNDO ESTÁ BIEN HECHO*

Perdidamente enamorada la mujer del sombrero
enorme, caía torrencialmente en forma de pirata que
viene a sacudir todos los árboles, a elevar hacia el cielo las raíces desengañadas que no sonríen ya con sus
dientes de esmeralda. ¿Qué esperaba? Tras la lluvia 5
el corazón se apacigua, empieza a cantar y sabe reír
para que los pájaros se detengan a decir su recado misterioso. Pero la prisa por florecer, este afán por mostrar los oídos de nácar como un mimo infantil, como
una caricia sin las gasas, suele malograr el color de 10
los ojos cuando sueñan. ¿Por qué aspiras tú, tú, y tú
también, tú, la que ríes con tu turbante en el tobillo,
levantando la fábula de metal sonorísimo [33]; tú, que
muestras tu espalda sin temor a las risas de las paredes? Si saliéramos [34], si nos perdiéramos en el bos- 15

---

* Aparece en PT1 con el título «El día está entre los helechos» (corregido a mano por el autor). El título actual proviene de un poema de
Guillén (cfr. L. A. de Villena, *op. cit.,* pág. 185).

[33] *Fábula de metal sonorísmo.* El particular neologismo, señala V. Granados *(op. cit.,* pág. 210), se repite con leves cambios («águilas de metal
sonorísimo») en el poema «Las águilas», DA.

[34] Este trozo inicial ha sido comentado por C. Bousoño *(op. cit.,* páginas 294-305). Igualmente, R. Gullón («Itinerario poético de V. Aleixan-

2. En PT1, *enorme caía.*

que, encontraríamos la luna cambiando, ajustando a
la noche su corona abolida, prometiéndole una quietud como un gran beso. Pero los árboles se curvan, pesan, vacilan y no me dejan fingir que mi cabeza es
más liviana que nunca, que mi frente es un arco por   2(
el que puede pasar nuestro destino. ¡Vamos pronto!
¡Avivemos el paso! ¿No ves que, si te retrasas, las conchas de la orilla, los caracoles y los cuentos cansados
abrirán su vacilación nacarina para entonar su vaticinio subyugante? Corramos, antes que los telones se   2'
desplieguen. Antes que los pelos del lobo, que el ho-
cico de la madriguera, que los arbustos de la catarata
se ericen y se detengan en su caída. Antes que los ojos
de este subsuelo se abran de repente y te pregunten.
Corramos hacia el espanto.   3(

Pero no puedes. Te sientas. Vacilas pensando que
los pinchos no existen más que para bisbisear su en-
sueño, para acariciarte tus extremos. Tus uñas no son
hierro, ni cemento, ni cera, ni catedrales de pórfido
para niños maravillados. No las besarán las auroras   3'
para mirarse las mejillas, ni los ríos cantarán la canción de las guzlas, mientras tú extiendes tu brazo hasta el ocaso, hasta tocar, tamborilear la mañana refle-
jada. Entonces, vámonos. Me urge. Me ansía. Me llama la realidad de tu panoplia, de las cuatro armas de   4(
fuego y de luna que me aguardan tras de los valles ro-
mancescos, tras de ti, sombrío desenvolvimiento en
espiral. Por eso tú llevas una cruz violeta en el pecho,

dre», en *Papeles de Son Armadans,* a. III, t. XI, núms. XXXII-III, 1958,
página 205) ha señalado la atmósfera kafkiana de terror e impotencia que
viven los seres del poema en su inútil tentativa de huida.

25. En PT1, *Corramos antes.*
39. En PT1, *Entonces vámonos.*
40. En PT1, *4 armas.*

una cruz que dice: «Este camino es verde como el astro más reciente, ese que está naciendo en el ojo que lo mira.» La cruz toca tu seno, pero no se hiere; llega a las palmas de tus manos, pero no desfallece; sube hasta la sinrazón de las luces, hasta la gratuidad de su nimbo donde las flechas se deshacen. 45

Si hemos llegado, ya estarás contemplando cómo la pared de cal se ha convertido en lava, en sirena instantánea de «Dime, dime para que te responda»; de «Ámame para que te enseñe»; de «Súmete y aprenderás a dar luz en forma de luna», en forma de silencio que bese la estepa del gran sueño. «Ámame», chillan los grillos. «Ámame», claman los cactos sin sus vainas. «Muere, muere», musita la fría, la gran serpiente larga que se asoma por el ojo divino y encuentra que el mundo está bien hecho. 50 55

46. En PT1, *seno pero* [...] *hiere, llega.*
50. En PT2, PTL, PC y OC, *llegado ya, estarás* (aceptamos la lección de PT1, por más lógica).
52-53. En PT1, *díme,* [...] *ámame* [...] *súmete* (sin mayúsculas).
55-57. En PT1, sin comillas.
58. En PT1, *el iris divino.*

EL ALMA BAJO EL AGUA*

Qué gusto estar aquí, en este suelo donde la materia no es el mármol ni el acero, donde se acaba olvidándose si las plantas existen, como una leyenda que no hay que creer. Donde la más bella hada no puede romperse, aunque la fustiguen las barras doradas que 5
se desclavan de los cielos con la noche. No importa que los ojos no duelan. ¡Mejor! Que el sueño no exista. ¡Mejor, mejor! Un poco de música subiendo como el nivel respirado me enfría con su agua sedeña la piel quietísima. Si ascienden las ondas, si te empapas de 10
todas las tristes melancolías que volaban evitando rozarte con sus maderas huecas, finas, se detendrán justas en la garganta, decapitándote con la luz, dejando tu cabeza como la flor, el alga, el verde amaranto más concreto que busca el accidente para sumirse. ¡Qué 15
hermosa, ¿no es cierto?, una verdad entre las manos! ¡Qué hermoso poder sonreír al eco largo, en cinta que pasa cerca, cerca, sin tocarnos, mientras el calor, el latir, se ha hecho justo en el hueco, en este aire que yo acabo de respirar, y en él mueve sus alas como espejos, excitando la sonrisa templada en que amanezco! 20
Por la mañana, cuatro carros de grandes planos amon-

---

* Aparece en PT1 con el título «En el fondo navegan los instantes» (corregido a mano por el autor). En PT1 el poema empieza: «Pero tus labios sonríen en cruz. El viento norte salta y acusa la mejilla más dulce, la de los corderos de borra intacta, esa luz auroral que ignora todos y cada uno de los números a aparecer» (borrado por el propio autor) y sigue como en nuestra edición.

1. En PT1, *aquí en.*
9. En PT1, *respirado, no enfría.*
18. En PT1, *cerca sin tocarnos:* ; en PT1, PT2 y PTL, *tocarnos; mientras.*
22. En PT1, *mañana cuatro.*

tonados y metálicos armarán su agrio estrépito, que
siembra de vidrios de botellas todos los desnudos iner-
mes. Si Dios no me acusa, ¿por qué el alma me pun- 25
za como una espina cuyo cabo está al aire, flameando
como un gallardete insatisfecho? ¿Por qué me saco
del pecho este redondo pájaro de ocasión, que abre
sus luces en abanico duende y espía los rincones, para
desde allí encantarme con su pausado jeroglífico? ¿Por 30
qué esta habitación, como una caja de música, se mueve, ondula sobre las aguas temerosas e insiste plenamente en su bella desorientación frente al crepúsculo?

¡Oh hermosura del cielo! Mástiles duros, altos, me
sonríen. Velas del cierzo quieren, no pueden arribar- 35
me. ¿Entonces? Una cabeza fina, entera, dueña, vuela
de gris a gris, bajo la nube nueva y cae en forma de
silencio, mojándome los ojos con su roce, callándose
su forma decisiva. ¿Espero? Sí. En mi oído cuatro ru-
bios delfines, fantasmas, peces acaso, con gorras de 40
azul hondo, redondas, cantan, dudan, mecen horizontes redondos, altos, hondos también, que abren los caminos. Una estrella es un mar. Un mar enorme, extenso, me sostiene en la palma de su mano y me pide
respeto. Su secreto no es suyo, y si buceo en el alma 45
que se abre, un doloroso rictus en la cara dirá que he
dado con corales en el fondo, que el corazón apenas
puede con mi peso en su profundo oscuro. ¡Oh alma,
qué me quieres! ¿Por qué tu luz se olvida y a tientas
yo te habito, callando las corrientes que golpean, los 50
peces más viscosos y las estrellas vivas que pueden es-
tamparse sobre el pecho para hacer más sencilla la ascensión sobre el cristal final donde me pierda?

---

29. En OC, *rincones para* (posible errata).
34. En PT1, *altos me*.
40. En PT1, *peces, acaso*.

Pero el amor me salva. ¿La palabra no existe? Apoyado en un codo grande, grande, me extiendo y quedo. Pensamientos, barcos, pesares pasan, entran por los ojos. Me soy, os soy. Os soy yo sin querer, porque en mi ceguera veo hacia afuera esa dulce melancolía en forma de cabeza que, ladeada, se hunde y me llega a las manos, queda, no pesa, torpemente se balancea con el cabello plomo derretido, de repente hecho masa por el frío.

59. En PT1, *cabeza, que.*

HACIA EL AZUL*

Sombras del sur, sombras aquí. Venid todas las ruedas velocísimas y salvadme del mar que va a caerme
de las alas. Si anteayer lloraba yo, hoy río, lo mismo
que la trompeta cuando cesa. Cuando tú, tú, tú, tú, tú
callas diciendo: «No te quiero.» Pero el oro en la pal   5
ma de la mano fulgura una seguridad tan grata, que
yo comprendo que el sueño lo han inventado los cansados, los escépticos de su corazón mercenario, que
golpeaba como una moneda en una jaula, en un —delirante ayer— agrisado hoy volumen de gorjeo. Can   10
ta, esperanza de agua. Dadme un vaso de nata o una
afiladísima espada con que yo parta en dos la ceguera
de bruma, esta niebla que estoy acariciando como frente. Hermosísima, tú eres, tú, no la superficie de metal, no la garantía de soñar, no la garganta partida   15
por un cuchillo de esmeralda, no; sino sólo un parpadeo de dos visos sin tacto, de dos bellas cortinas de
ignorancia. ¡Olvidar! Olvidar es una palabra fácil, fíjate bien: olvidar. Como quien dice: «Qué día hermoso», o «Qué hora será cuando la lluvia», o «Dime el   20
peso exacto de tu pena y te diré cómo querrías llamarte: Alegre.»

Sí, más alegre es la paloma que el cántaro[35]. Cuan

---

* Aparece en PT1 con el título «La velocidad es quererte» (corregido
a mano por el autor).
[35] *Sí, más alegre es la paloma que el cántaro.* De forma análoga («Igual
la paloma que el cántaro») aparece en el poema «El profesor», VD.

5. En PT1, sin comillas.
8. En PT1, *mercenario que.*
16. En OC, *solo* (errata).
19. En PT1, *dice* «*qué* [...] *qué* (sin mayúsculas).
22. En PT1, *«Alegre».*

do conteniendo la risa se desborda la gracia gemebunda que antes se balanceó en el columpio de la palmera, el azul más extraño se desmorona y llora, llora en orden, sin querer saber las noticias que dicen: buen tiempo. Azul es el caramelo y azul el llanto sobre la mano empequeñecida. Azul la teoría de los vuelos, esa fácil demostración de cómo las faldas al girar se abren en redondo y brillan sin renuncia. Ese rumor no es el de tu cuerpo. Son tantos los resplandores interiores, que quiero ignorar el número de estrellas. Si me cayera en el hombro esa pena goteada, al darme en el hombro, mi cabeza quemada saldría en cohete en busca de su destino. Ascendiendo, una gran risa celeste ha abierto sus alas. El sol está próximo. En el seno de las aguas no hay fuego, pero esa faz resplandeciente me atrae, porque quiero abrasarme mis pupilas, quiero conocer su esqueleto, esa portátil mariposa de los finos estambres, las más delicadas papilas vibratorias. Acaso el amor no puede quemarse. Como un acero carnal se salvará su conciencia. Labios de Dios, besadme, salvadme de mi insistencia infatigada, de mi ceniza desmoronándose. ¡Qué caña hueca de pensar quedará única, oh dulce viento de la estrella, oh azul envío retrasado, oh dulce corazón que he perdido y que, como un gran hueco de latido, no atiendes ya en la rama!

---

27. En PT1, *Buen* (con mayúscula).
36. En PT1, *destino. Una.*
38. En PT2 y PTL, *fuego; pero.*
38-39. En PT1, *la faz me.*
47. En PT1, *que perdido* (corregido a mano por el autor).

EL AMOR PADECIDO*

Perdóname que cuando se detiene la tristeza a la entrada de la esperanza adolescente, no asomen todas las palomas, las más blancas, con sus voces humanas, preguntando sobre la ruta apasionada. He esperado mucho. Tanto, que mis barbas de tiempo han tejido 5 dos rostros, un aspa de tijeras con que yo podría interrumpir mi vida silenciosa. Pero no quiero. Prefiero ese ala muscular hecha de firmeza, que no teme herir con su extremo la cárcel de cielo, la cerrazón de la altura emblanquecida. No son dientes esos límites 10 de horizonte, ese cenit instantáneo que en lo más alto hace coincidir el péndulo con la sangre, la conjunción que no desmaya con su tacto. Esperar en los límites de la vida, adormecer la criatura débil que nace con una risa crepitante en el extremo de la ropa (allí don- 15 de no llega el latido cierto), es una postura sí esperada, no cansada, no fatigosa, que no impide toser para conocer la existencia, para amar la forma perpendicular de uno mismo.

La esperanza es lo cierto. Hay quien pretende ha- 20 ber tocado un día los límites de la tierra, esa terrible herida que lleva uno ignorada en el costado. Pero no lo creáis. A veces se ha visto salir una forma, un pájaro de ignorancia vestido de corazón reciente, hecho una pupila que no ha temido la mirada en redon- 25

---

* No figura en PT1.

8. *ese ala;* así en todas las ediciones. Errata de edición, error grama- tical por *esa ala;* o, al contrario, ¿ha pretendido el poeta utilizar la forma popular e incorrecta del habla coloquial?

do. Pero el paisaje sin nubes, la heridora verdad de
no-cortezas se abandonaba engañosa, ocultando su sime-
tría simulada. Una bella palabra, un árbol, un monte
de denuestos olvidados, todas las incidencias de los besos, se repartían mintiendo. No los creáis si hay vida.   30
No los creáis, porque no podríais respirar. No entréis
en su atmósfera de alfa. En el umbral de un pecho
me llamaron. No era la buena voz, mentira idiota,
sino la cerrazón de los fríos, las dos violetas pálidas
de ansia, ese instante de los labios en que se adivina   35
que la sangre no existe.

Pero me he reído mucho. No es burla, no. He llo-
rado sobre un resplandor último. Llegó tan nuevo, tan
claro y tan despacio; se puso como un hombro, como
un calor caliente. Se estiraba y quedaba. Allí me dor-   40
mí sin saberlo. Me fui quedando helado, hecho calor
de entonces, hecho de aspiración sin descanso.

No grité aunque me herían. Aunque tú me oculta-
bas la forma de tu pecho. Sentí salir el sol dentro del
alma. Interiormente las puntas del erizo, si aciertan,   45
pueden salir de dentro de uno mismo y atraer la ven-
ganza, atraer los relámpagos más niños, que penetran
y buscan el misterio, la cámara vacía donde la madre
no vivió aunque gime, aunque el mar con mandíbulas
la nombra.   50

26-27. En las otras ediciones, *nocortezas.*

32-33. *En el umbral de un pecho me llamaron.* La frase proviene de los versos iniciales del poema LXIV de las *Soledades* de Góngora (Cfr. A. Duque
Amusco, «Vicente Aleixandre», *Ámbito,* Madrid, Castalia, 1990, página 18).

Apéndice

LOS NAIPES USADOS*

Te vas callando así, espada que no cantas[36], para ocultar tu
dulce cerrazón escondida, esa blanda emoción que nace de
un vestido que se abate. Tu desnudez es inviolable. No se
verá salir de la cadera fina esa cinta del sueño que permanece roja un instante mientras el sol flaquea ante mil fle-   5
chas, para tornarse azul, amarilla, blanca, muerta de sombra larga, como un suspiro abandonado sobre ese sofá carne de membrillo. Se te va a ver alzarte con tus ojos en las
manos, mientras tus veinte besos habladores dejan caer las
uñas en forma de paraguas, de paracaídas sedosos que muy   10
despacio rozan las mejillas pidiendo la otra tierra, el musgo breve, intenso, donde el reposo acoja dulces senos, redondos, celuloides de marfil. Treinta cabezas mármoles caídos envidian la verdura de los suelos. Un torso vivo, con-
traído, afloja su tensión, cuando nacen las últimas estacas   15

---

* Fue publicado por primera vez en Gac. Lit., núm. 75, enero de 1930,
con el título «Lino en el soplo». Olvidado por el autor se publica, siempre
con el mismo título, en CHA, núm. 233, mayo de 1969, págs. 459-60. El
nuevo título —«Los naipes usados»—, querido por Aleixandre (así me
confirma Villena), aparece por primera vez en LAV, 1976.

[36] A. Amusco hace notar («Carta a Gabriele Morelli [...]», *op. cit.,* página 7), cómo en esta expresión está presente el juego metafórico «boca-
espada», que dará más tarde lugar al título de la obra *Espadas como La-*
bios: denominación que, sabemos, los dos libros compartieron al comienzo. En efecto, la cercanía temática y estilística entre los dos libros es cla-
rísima. Sobre el asunto, Amusco ha escrito un artículo, «Dos libros para-
lelos de V. A.», que esperemos salga a la luz cuanto antes.

del acero, donde el viento se acoge en espiral dibujando los rostros, decayendo, dejándolos abandonados sobre una gran tabla palpitante, sobre la derribada esperanza sin víscera que late por la virtud de una burbuja verde. Si sopláis, si rizáis su tierna superficie, veréis pasar navíos por el fondo. El horizonte es vidrio intocado. Un silencio de zumo se desliza arrastrando su cola inaprensible. No queráis imitarla. No pretendáis amor ni risa sobre el seno. Una mirada loca galopa en forma de lebrel sobre un guante por tierra. Tus besos son la dicha, son la suprema guerra cayendo en dos cenizas por la frente. Una espada de niño que signa en el papel chasquido seco, mientras las telas que respiran caen de los clavos tensos.

27. En CHA, papel, chasquido.

ESTE ROSTRO BORRADO*

Es tu mirada en forma de pájaro la que hace memoria
el cielo de la boca cuando el sol se trasplanta dulcemente
sin que duelan las raíces de los ojos. Es tu mirada en forma
de velero. De huida de los zorros. En forma de carnaval de
dichas de percal. En forma, sí, de almohadón de aluminio   5
donde poner suspiros uno a uno que vayan restableciendo
el mar en la caja del pecho hasta alcanzar el ritmo de sus
lunas, de sus más bellos corchos flotadores.

Por eso no conseguirás engañarme. Porque no vacilo
aunque unos tristes zapatos de charol boguen a la deriva   10
sospechando el sol pálido, emanando renuncias una a una,
pidiendo a las colinas desconsuelos, un par de lágrimas de
oro que chirríen al agua, que desequen rápidamente el pan-
tano de la mano inmovible.

Espérame había cantado aquella noche, la anterior, un   15
pez de lujo, mezcla de nata y menta, parado sobre un ár-

---

* Por voluntad del mismo Aleixandre, colocamos el poema en el Apéndice del libro.

Publicado, con un breve comentario final, por el hispanista Terence
McMullan en CHA, núms. 352-54, octubre-diciembre de 1979, páginas 516-23, aparece por primera vez en *Nueva Revista* (NR), núm. 6, Madrid, 14 de marzo de 1930. NR —hoy injustamente olvidada— constaba
de cuatro páginas y tenía formato de periódico. Publicó seis números solamente, el primero el 2 de diciembre de 1929 y el sexto el 14 de marzo
de 1930; fue probablemente la primera revista que se vendió en la calle
por los mismos editores. No tuvo director propiamente dicho, siendo publicada por un grupo de amigos, alumnos entonces de la Facultad de Fi-
losofía o de Derecho de la Universidad de Madrid, entre los que figura-
ban nombres como los de José R. Santeiro, que fue en buena parte el promotor, José A. Muñoz Rojas, José Antonio Maravall, Antonio Bonthelier,
Nicolás Martín Alonso, Manuel Díez Cerrio, Leopoldo Panero. En cambio, entre los colaboradores, se encontraban Azorín, Cernuda, Serrano Pla-
ja, Salinas, Bergamín, Alberti, Vivanco, etc. Aleixandre no participó más
que con este poema (debo esta información a José A. Muñoz Rojas, al
cual doy las gracias por su atención y amabilidad).

bol, llevando en el pico una escama de olivo, un corazón minúsculo del tamaño de una basílica latiente. Espérame le había respondido la barca que corría por la savia más íntima, repleta de pasajeros núbiles, de troncos sin cabezas que llevaban guitarras sin las coplas, cuellos de notas altas y unas manos de tela, con almidón dormido, con un vago anhelo de lejanía en los labios de aire.

¿Entonces? no se esperaba entonces, ni ya mañana, ni ayer, más que el eclipse único, la vela lozanísima que obscureciese el vello de la axila, ese cuento despacio que acaba detenido en el calor del seno de tu pájaro, donde la pluma miente una caricia al párpado cerrado, a la imagen de alambre que sostiene entramada a la pupila.

Abre la puerta y llora. Llora el viento que llega, el que llega y se cae, el que se arrodilla y declama con el pecho los latidos del árbol que no sabes, las ramas verdes que estás sintiendo enlazarse a la cintura. Llora y canta. Amor proclama su victoria en forma siempre, en forma de blancura, no sudario de pájaro, ni yema de pez, ni espada ni seno vivo. Sino dolor-pisada, dolor estampa y cobre, dolor de letras sin sentido que escriben en el torso sus no-besos, ese zumo de nube que está cayéndote en los ojos, incendiando la zarza de tus pinchos, ahogando las burbujas que se rompen una a una en el hondo misterio de tus pelos.

DOCUMENTACIÓN
Y MATERIAL BIBLIOGRÁFICO
SOBRE *PASIÓN DE LA TIERRA*

Prólogos y notas previas del autor sobre el libro

A la segunda edición de «Pasión de la Tierra», Adonais, 1946

1. Al solicitar este libro mío el director de la colección «Adonais» para sus lectores, desea hacerme, con destino a ellos, unas cuantas preguntas que con mucho gusto voy a contestar.

¿Por qué no ha sido publicado antes en España?

Este libro de poemas en prosa fue escrito hace dieciocho años, en 1928-29, y es la segunda obra del poeta, situada cronológicamente entre *Ámbito,* compuesto en 1924-27 (edición de 1928), y *Espadas como Labios,* compuesto en 1930-31 (edición de 1932).

Pudo aparecer al público cuando se terminó. En 1929 lo anunció una editorial, con su primitivo título: *La evasión hacia el fondo.* La resonante quiebra de la C. I. A. P. (resonante en las letras del tiempo) detuvo entonces su natural nacimiento a la luz.

¿Después? Siempre el poeta tiende a publicar su libro cuando aún se siente vitalmente ligado a él, no roto todavía ese delicado cordón que no se quiebra exactamente en el momento de escribir la última palabra de su obra. En 1932 la nueva posibilidad editorial del poeta ya le cogió con un libro trémulo de su inmediata vida: *Espadas como Labios. La evasión hacia el fondo*, que ya entonces se llamaba *Hombre de Tierra* (en *Espadas como Labios* está anunciado así), quedó pospuesto. Después fue la edición de *La Destrucción o el Amor*. En España, por un azar, siempre había un libro nuevo del poeta a cada coyuntura editorial. *Pasión de la Tierra*, que ya se titulaba así en su primera cuartilla, cruzó el Atlántico en 1934 y al año siguiente apareció en Méjico, impreso por amigos inolvidables en cuidadosa edición limitada, para no volver a atravesar el océano más que en unos pocos ejemplares de autor, a modo de visita ultramarina. Era un libro que había querido nacer americano y americano se quedaba.

Después he resistido a una más extensa edición de esta obra, y luego diré por qué.

¿Qué representa en la obra general del poeta?

No he de ser yo quien conteste a esta pregunta, ya considerada por los que desearon hacerlo, puesto que está editado desde hace cerca de doce años.

En el prólogo a la segunda edición de *La Destrucción o el Amor* he dicho, sin embargo, algo acerca del nacimiento de *Pasión de la Tierra*. De cómo representó en la obra del poeta el aparente rompimiento con lo tradicional (entiéndase el vocablo), en cuya línea, más o menos, se desarrollaba *Ámbito*. De la influencia que para ello supuso la lectura de un psicólogo de vasta repercusión literaria. Del intento abisal de alma y tierra que representa. Lo telúrico nutre al hombre, y la sangre lleva ciegos arrastres del envío profundo. La voz viene turbia, impura, del unificador pozo donde está el origen todavía indiscriminado. La pasión humana palpita en las paredes interiores de la carne, y el alma, con calidades vegetales, se siente azotada por el ventarrón, enraizada en el barro latiente, bajo un cielo aplastado, donde hay fulgores sanguíneos y a veces luces negras.

Un ansia de redención palpita en el poeta, con su angustia individual, vinculado a la realidad exterior, de la que no se siente distinto. Esta realidad exterior es la pura materia, en desorden, el caos agolpado, la existente vida que no halla destino. Es la vida antes de toda ordenación la que aquí furiosamente combate o se desploma como una ola de turbia materia espesa, donde son reconocibles las rocas y las almas, los vegetales y las plumas, los grandes trozos de cielo brutal o el grito de los pájaros. No hay esperanza. No hay más que el hombre y el bullente material de la Creación antes del aplacamiento que no se concibe, no puede prevenirse por el hombre que primigeniamente allí canta.

Algún trasunto de todo eso hay en este libro, en ese grito herido en que todavía yo me reconozco. Más un contrapunto, en muchos poemas dominante, que es la angustia del hombre opreso en la civilización presente. Detritos de su muerta materia: sillas, tubos, naipes, ropas, vidrios, tristeza, descargan sobre su cabeza en irrisoria y asfixiante ola, sobre la que aún queda flotando aquel mismo grito humano y elemental.

Allí está, pues, como en un plasma (aparte el valor sustantivo que el libro pueda poseer) toda mi poesía implícita. Esta es un camino hacia la luz, un largo esfuerzo hacia ella. Sólo mucho después yo he descubierto la claridad y el espacio celeste. Pero desde la angustia de las sombras, desde la turbiedad de las grandes grietas terráqueas estaba presentida la coherencia del total mundo poético.

La técnica con que entrañadamente nació este libro le hace un favor y un grave disfavor. Hoy puedo verlo así porque ha pasado el suficiente número de años. La búsqueda que no se contenta con la realidad superficial persigue la «hiperrealidad» (el término es de Dámaso Alonso), que aquí es el zahondar, el alumbrar la última realidad, más real que la sólo aparente de la superficie. Mediante inesperadas y rompedoras aproximaciones, acaecidas por la vía de la intuición —en una posible clarividencia en que estalla la lógica discursiva—, se intenta la superación de los límites consentidos. Mi poesía, mejor dicho, el mundo poético en ella creado ha supuesto siempre (o casi siempre) la lucha contra las formas o límites de las cosas, en la búsqueda de la unidad que no los consiente y los asume. Y en su realización artística, la técnica de este libro ha sido paralela a ese aquí convulso anhelo de co-fusión. Nunca más extremados uno y otra que en este libro, el más extremoso —el más barroco también, en otro sentido—, el más difícil, el que más se rehúsa a un tipo de lector sin habituación.

¿Por qué se publica ahora?

Y aquí está el grave disfavor que a esta técnica debe. El impulso que mueve a este libro es el de la angustia del hombre elementalmente y esencialmente situado en medio del caos de las fuerzas brutales, de las que —si hostilmente le derriban— no se siente distinto. Es la angustia del hombre físicamente desnudo, desamparado, absorto. Un hombre con las pasiones del hombre y con los pies en la tierra que sostiene a los hombres. Pero este impulso que agita aquí a un hombre, no en sus terminales refinamientos civiles, sino en zonas básicas en que lo telúrico le reconoce y en que los demás pueden reconocerle, se ha visto expresado y servido por una técnica y por un lenguaje que le hacen incomunicable, por hoy al menos, con una buena parte de esa masa general de los hombres, a la que está haciendo su llamamiento.

Esto, que es un problema genérico en la más vigente y grande poesía moderna (más de medio siglo de poesía europea confinada en las «minorías»), aquí palpita con signo doloroso, porque la elementalidad pocas veces, como impulso, ha sido más pura, más radical, en su origen, que en esta «Pasión», en este movimiento que la ha desencadenado.

Mi poesía ha sido, desde este mismo libro también un lento movimiento natural hacia la clarificación expresiva, con una acentuación de la conciencia de cuál es, por su sustancia, el destino poético.

Por eso este libro, *Pasión de la Tierra,* no ha sido, con extensión, editado antes. El más extremado y difícil de mis libros no puede hablar, por razones de forma, más que a limitados grupos de lectores, ay, «preparados», aunque, eso sí, a cada hombre que lo acepte o lo sienta le palpite, total o fragmentariamente, con nitidez o como borroso roce agitador, en zona radical y primaria, donde reside el vagido de la vida, allí donde cada hombre, viendo a su semejante, puede confesar que nada de lo humano le es ajeno.

Una edición general la rehusé siempre. Hoy una edición destinada a la colección «Adonais» no puede serme más agradable.

Contenido

La presente edición sigue el texto de la mejicana de 1935 (salvo la modificación de algún título) con la inclusión de siete nuevos poemas que entonces quedaron inéditos. Es, pues, la edición completa.

A «Mis poemas mejores», 1956

2. [...] *Pasión de la Tierra,* el libro segundo, de poemas en prosa, supuso una ruptura, la única violenta, no sólo con el libro anterior, sino con el mundo cristalizado de una parte de la poesía de la época. Algo saltaba con esa ruptura —sangre, quería el poeta. Una masa en ebullición se ofrecía. Un mundo de movimientos casi subterráneos, donde los elementos subconscientes servían a la visión del caos original allí contemplado, y a la voz telúrica del hombre elemental que, inmerso, se debatía. Es el libro mío más próximo al suprarrealismo, aunque quien lo escribiera no se haya sentido nunca poeta suprarrealista, porque no ha creído en lo estrictamente onírico, la escritura «automática», ni en la consiguiente abolición de la consciencia artística [...].

2. *Pasión de la Tierra,* mi segundo libro, fue compuesto en 1928-1929. Con el título primitivo de *La evasión hacia el fondo,* anunciaba su edición, aquel último año, la casa C. I. A. P. La ruidosa quiebra de esta editorial dejó la obra inédita por entonces. Luego escribí *Espadas como Labios,* y a la primera coyuntura de edición, fue éste, el libro reciente, el que entregué. (En *Espadas como Labios,* en la lista de obras del autor, figura *Pasión* como inédita, ya con su segundo título: *Hombre de Tierra.*) En 1934, *Pasión de la Tierra* cruzó en cuartillas el Atlántico, a petición de amigos inolvidables, y en bella edición limitada apareció en Méjico en 1935.

La ruptura que este libro significaba tomó la más libre de las formas: la del poema en prosa. Es poesía «en estado naciente», con un mínimo de elaboración. Hace tiempo que sé, aunque entonces no tuviera conciencia de ello, lo que este libro debe a la lectura de un psicólogo de vasta repercusión literaria (Freud), que yo acababa de realizar justamente por aquellos años.

Pasión de la Tierra, por la técnica empleada, es el libro

mío de lección más difícil. He creído siempre ver en sus zonas abisales el arranque de la evolución de mi poesía, que desde su origen ha sido —lo he dicho— una aspiración a la luz. Por eso este libro me ha producido un doble complejo sentimiento: de aversión, por su dificultad, contradictoria de la convocatoria, del llamamiento que hacía a zonas básicas, comunes a todos; y de proximidad, por el *humus* maternal desde el que se movía. En él, en ese libro, todavía me reconozco.

Traslado aquí un poema en el que la muerte se simboliza en una sala de consulta, donde se espera turno, y otras dos composiciones más.

A la edición de «Pasión de la Tierra», Roma, Bulzoni, 1984

Saludos a unos lectores italianos

3. Algo entre la realidad y el sueño podría quizá exclamar este libro mío sintiendo la apelación de sus posibles lectores italianos. Pero la poesía no es tanto un sueño como un despertar. Y el llamamiento que el poeta experimenta en su interior —concepción y advenimiento— es al mismo tiempo la pregunta que él lanza a los presentes, tal vez, mejor, a los ausentes. ¡Y ay del que no recibe ninguna respuesta! Quien escucha es quien habla y quien calla es quien finalmente expresa los sonidos más delicados.

Cuando yo escribí este libro lo hice con un lenguaje que, con otro sentido, era un llamamiento casi silencioso. Tan «difícil» debió de aparecer entonces en los poemas que se publicaron en revistas. Pero la capacidad de evolución de un libro, a través del tiempo, es más que una cualidad una necesidad de su cumplimiento. Y no es obra del poeta, que a veces está muerto, sino de sus lectores sucesivos, protagonistas de ese movimiento y sus colaboradores decisivos.

Pasión de la Tierra es, entre mis libros, el que más se ha «movido» de ese modo. Nacido con la conciencia de que quizá sólo un ciento de lectores, cuando más, admitirían la «dificultad» de su expresión, tuvo una primera edición, bajo ese condicionamiento, incompleta y limitada, sólo para amigos. Casi veinte años después, en la segunda edición —la primera llamada completa—, el autor seguía considerándolo lo mismo. Una obra que apela a lo profundo humano, al subsuelo común desde el que se yergue el hombre; pero emergida con una expresión casi incomunicable. En principio, pues, un libro para todos, aunque servido en un lenguaje «culpable» que lo hacía un libro para pocos, acaso para ninguno. El autor, en el prólogo de esa lejana segunda edición así lo decía y se «confesaba», y desde ese enfoque procuraba situarlo.

No sé si antes, pero desde luego a partir de esa edición empezó el «movimiento» del libro. En sucesivas ediciones sus hojas (sin que se tocara el texto) se fueron abriendo, y fueron sus lectores los autores de esta traslación. De 150 ejemplares de la primera publicación, menos de mil en la segunda, a ya varios millares en las siguientes. *Pasión de la Tierra,* en cierto modo, se había convertido en un libro «normal».

No fue una transfiguración, pero sí que al cambiar su comunicación no se mudó sólo su destino. Porque con éste vino también algo que afectaba a su cumplimiento. Y el que nació (aunque desde el grito profundo en que se levanta el hombre) como un libro para algunos, resultó, en la medida de la poesía, un libro «para todos». Al esclarecerse su lenguaje (por obra de sus lectores en el tiempo) la ecuación entre fondo y forma, diríamos, quedaba establecida. El libro (no hablo de valores) se había cumplido.

El que hoy el viandante pueda verlo en una librería entre otros volúmenes cualesquiera es un fenómeno sencillo. No tanto para su autor, que recibe con ello, como un don, la satisfacción acaso* más pura y silenciosa de su vida literaria.

Hoy el profesor Morelli lo vierte, con su arte y su conocimiento, a la bella lengua italiana. A través de ella el poeta envía su saludo a los posibles lectores que quieran acercarse a estas páginas. Nada puede añadir el autor que la obra misma no diga. Y termina como empezó. Porque el que escucha es quien habla, y el que calla, quien finalmente tienta, si ello es posible, los sonidos más delicados.

Octubre de 1983

---

* En ocasión de esta edición, Aleixandre ha corregido el pasaje que decía: «recibe acaso con ello, como un don, la satisfacción más pura».

Las reseñas del tiempo

«Pasión de la Tierra». Vicente Aleixandre

por José Luis Cano

Primorosamente impreso por Fábula (México), ha visto la luz un nuevo libro de Vicente Aleixandre, *Pasión de la Tierra.* Nuevo en cuanto es el último que aparece impreso, ya que cronológicamente, en cuanto al tiempo de su creación, es anterior a sus dos últimos libros: *Espadas como labios* y *La destrucción o el amor. Pasión de la Tierra* es un libro de poemas en prosa, en el que, a diferencia de lo que ocurre con tantas obras de este género, ya un tanto desacreditado, la verdadera poesía aparece, entrevista o desnuda, en cada poema. Una ironía tranquila, una forma generosa de hablar a la tierra o a un cuerpo, apenas pueden encubrir la verdadera voz —cálida— del poeta. Por otra parte, la fecha en que este libro fue escrito (1928-1929) nos da la clave que nos permite apreciarlo en su justo valor. En la época en que la joven poesía española, que había aparecido hace pocos años (en 1924 y 1925) siente la llamada violenta y sugestiva del surrealismo, que André Breton y sus amigos lanzan al mundo entero a través de la «Révolution surréaliste». La época en que Rafael Alberti escribe *Sobre los ángeles,* en que Luis Cernuda traduce a Paul Eluard, y Emilio Prados hace «collages» y escribe un manifiesto surrealista que no llega a publicarse. En la época última de la revista *Litoral,* Vicente Aleixandre no podía ser una excepción. El libro que comentamos viene a ser la expresión —no sabemos hasta qué punto perseguida por el poeta— de la fase surrealista de su sentimiento poético, acusada sobre todo en la forma, en la mecánica empleada. Pero esta influencia surrealista, a la cual era difícil sustraerse, se muestra en estos poemas de Aleixandre sin que nos impida oír su voz auténtica de poeta, la que años más tarde iba a mostrarse plena de madurez en sus dos obras posteriores, ya citadas anteriormente.

(*Sur*, Málaga, enero-febrero de 1935, pág. 15)

Pasión de la Tierra

por Gerardo Diego

Este libro de poemas en prosa (1928-1929) es el menos conocido entre los de Vicente Aleixandre, pero no el menos profundo e importante. Contribuye a su rareza, la rareza de la edición, México, Fábula, 1935, 150 ejemplares. Fui yo el intermediario para esa edición, lo mismo que para otras de poemas igualmente capitales en la historia futura de la poesía española. Antes, había disfrutado algún tiempo de esos veintiún poemas de *Pasión de la Tierra* y otros tantos por lo menos que componían el libro grande que el poeta, por no querer ser molesto para el generoso editor que componía él mismo tipográficamente el libro, redujo a moderadas proporciones. Hoy esos otros poemas están quizá definitivamente perdidos con otros papeles del poeta, y lo sentiría, porque su calidad era tan alta como la de los elegidos. Recuerdo uno con imágenes de instrumentos músicos, de arranque tan apasionado y lírico, que la prosa, sin conciencia del autor —hablamos los dos de esto— se transfiguraba por momentos en series de magníficos, nerviosos endecasílabos libres. No es el menor encanto de estos poemas el de su ritmo. Estamos en 1928. Aleixandre ha publicado su primer libro, ya magistral, *Ámbito,* y trabaja en nuevos poemas en verso, de forma clásica y contenido simbólico, ontológico, apretado. A requerición mía, ofrece como homenaje a Fray Luis su soberano soneto, gala del número extraordinario de *Carmen.* Se halla el poeta en vísperas de una profunda crisis humana y estética. ¿Vísperas? Yo no sé si había ya comenzado o al menos entrevisto su etapa de *Espadas como Labios.* Pero estos poemas en prosa le descubren, descubren los secretos de su alma apasionada y luchadora. Nada más revelador que el contraste, la aparente contradicción entre sus sonetos, sus romances, sus poemas tan construidos e intelectuales en verso, que

189

constituyen en realidad otro libro inédito —¿hasta cuándo?— del que yo conservo preciosos materiales autógrafos, y estos poemas de *Pasión de la Tierra,* tan derramados, tan sin límites, tan entregados voluntariamente a los oscuros instintos. Enorme peligro para todo el que no tenga la riqueza espiritual, la llama interior, la altísima ambición poética, el gusto del idioma, la posesión del ritmo, la profunda y desgarrada experiencia de dolor que atesora en férrea e invencible unidad esa humana y cárdena montaña, áspera y tierna, que es Vicente Aleixandre.

Suele hablarse, a propósito de la etapa poética que en este libro se inicia, de «Sobrerrealismo». Sólo con precisas reservas puede admitirse. Nada en estas prosas, como en los posteriores versos, de simulación, de frivolidad literaria, de «escuela» o prejuicio programático de onirismo y automatismo. Son poemas que brotan como sangre, como total espontaneidad, pero sometida siempre, siempre vigilada por una acomodación previa de la inteligencia rectora, por una «registración» adecuada del órgano estético, con un seguro instinto, pero instinto de artista, para adivinar desde la fuente la distancia y los contornos del delta de la desembocadura. Y sobre todo, con una seria, trágica, sarcástica a veces, autenticidad humana. Difíciles para el lector, mejor dicho, imposibles siempre aun para el más agudo, si aspira a comprenderlos íntegramente. Su dosis de arbitrariedad es siempre crecida. Su justificación reside en la unidad humana de la roca de donde ha brotado la irrestañable fuente. Pero ¿cuándo se convencerán algunos de que la poesía, como la música, no se ha hecho para ser comprendida intelectualmente? El universo de Aleixandre, que luego ha de desarrollarse, grandioso y armónico, genesiaco y apocalíptico, en los poemas de *La Destrucción o el Amor* y más aún en los de sus libros inéditos, ya está aquí creado por primera vez, después de los atisbos de las «noches» táctiles, devoradas, de *Ámbito.* Y así, en este nuevo universo creado, la lágrima crece hasta identificarse con la cabeza, la espalda se confunde con la bóveda celeste y los datos del mundo visible y del imaginado entrecambian sus esencias en la realidad de un lenguaje poético, expresivo siempre de una necesidad interior de desahogo, de un fuego subterráneo que pugna por resquebrajar todas las superficies. Todas las páginas:

> Crecerán los magnolios. Mujer, tus axilas son frías. Las rosas serán tan grandes que ahogarán todos los ruidos. Bajo los brazos se puede escuchar el latido del corazón de gamuza. ¡Qué beso! Sobre la espalda una catarata de agua helada te recordará tu destino. Hijo mío. —La voz casi muda—. Pero tu voz muy suave, pero la tos muy ronca escupirá las flores oscuras. Las luces se hincarán en tierra, arraigándose a medio día. Te amo, te amo, no te amo. Tierra y fuego en tus labios saben a muerte perdida. Una lluvia de pétalos me aplasta la columna vertebral. Me arrastraré como una serpiente. Un pozo de lengua seca cavado en el vacío alza su furia y golpea mi frente. Me descrismo y derribo, abro los ojos contra el cielo mojado. El mundo llueve sus cañas huecas. Yo te he amado, yo. ¿Dónde estás, que mi soledad no es morada? Seccióname con perfección y mis mitades vivíparas se arrastrarán por la tierra cárdena.

Jamás se ha mostrado tan en carne viva la carne y el alma de Vicente Aleixandre.

(Corcel, Pliegos de poesía, núm. 5-6, Valencia, 1944, páginas 81-82.)

Vicente Aleixandre: «Pasión de la Tierra»

por Ricardo Gullón

Pasión de la Tierra, el librito de poesía en prosa de Vicente Aleixandre, ahora recién publicado, es obra de juventud. Escrito entre 1928-1929, fue editado años después en Méjico, pero siendo escasos los ejemplares de esa tirada que aquí llegaron, seguía prácticamente inédito. Por razones que Aleixandre expone con detalle en las páginas de su prólogo a la edición actual, el libro se fue quedando atrás, desbordado por otros posteriores, a los cuales se sentía el autor vinculado con más fuerza, por representar en cada oportunidad una visión más fiel de sus inquietudes y una conquista de mejores posibilidades expresivas.

Ahora, casi a veinte años de distancia, nos transmite este mensaje antiguo, esta imagen de juventud, cuyos rasgos acusan tanta briosa energía, tanta riqueza en potencia. No pienso recrearme en profetizar el pasado, pero tampoco me parece hacedero examinar *Pasión de la Tierra* sin que sobre la memoria gravite el peso de la obra posterior. No es fácil olvidar la emoción de un primer contacto con *Sombra del Paraíso,* con *La Destrucción o el Amor.* Y ahora, sobre esta imagen de una poesía en albor, involuntariamente tiendo a reconocer los rasgos de la que después ha sido certísima plenitud.

¡Qué espléndida lección en esta *Pasión de la Tierra,* libro de oscuridad deslumbrante, caudaloso, juvenil y riquísimo! Lección para los retóricos sin alma, pues hallarán un trasmundo revelado, penetrado por el poeta con ejemplar decisión, buscando en tinieblas, tanteando ante el hallazgo de formas donde plasmaran eficazmente los elementos dispersos en ese mismo orden. Aleixandre afrontaba un problema muy arduo: dar expresión personal a materiales poéticos situados en las últimas capas de lo real e incluso más

192

allá. Para resolverlo adecuadamente tuvo que lanzarse hacia el abismo y recoger a tientas los objetos situados al alcance de su mano. (No se olvide que el título primitivo de *Pasión de la Tierra* era precisamente *Evasión hacia el fondo*.) Por tanto, no es extraño que estos poemas se hallen constituidos por un conjunto de sensaciones muy vario, conjunto tendente a ordenarse y jerarquizarse en torno a los temas esenciales.

Pero no sé si escribiendo *temas,* en plural, incurro en error. Pues la interpretación personal del poeta y, aun sin ella, un examen detenido del volumen muestra la casi imposibilidad de separar *asuntos* o materias en las composiciones. Aun empleando el término *asunto* con extrema latitud, como equivalente a tema (amor, muerte, etc.), se advierte que en *Pasión de la Tierra* todo viene mezclado indiscriminado adrede. A un poeta inteligente —y Aleixandre lo es— no le hubiera sido difícil crear un orden ficticio, o simulado al menos, mas para ello debía renunciar a dos cualidades esenciales: la autenticidad y la nota personal. Optar por la áspera vía del esfuerzo ilimitado y la búsqueda penosa —con el riesgo constante del fracaso y el eventual hallazgo de alguna veta de riquísimo lirismo— era, estéticamente, necesario. Por eso fue compuesto este libro con su oscura y densa palpitación.

El hombre vive en tinieblas y para hallar el camino de la luz cuenta con el instinto. Aleixandre no buscó la claridad siguiendo los senderos transitados; al sumergirse en el ámbito de la sobre-realidad, de la realidad escondida, pero no por eso menos vigente e influyente en la vida del hombre, quería atrapar el vivo y caótico curso de determinaciones que, sin aquiescencia del ser consciente, afloran en la conducta y en el sentimiento dándoles sal y sabor. Esto era simplemente una tentativa surrealista o superrealista o como quieran ustedes llamarla, pero, sin duda, un conato de penetrar en otras zonas de la persona que las conocidas y las controladas por nuestra razón. De tal aventura regresó, según se acredita en los poemas de *Pasión de la Tierra,* enriquecido, como quien arribara a lo cotidiano después de visitar los infiernos, infiernos del espíritu, donde se funden los contrarios y se siente resuelta la oposición entre lo real y lo fantástico.

La poderosa energía lírica de Aleixandre le mueve ya, en este hito inicial de la carrera que luego desembocaría en *Sombra del Paraíso,* a crear un vasto y complejo universo donde los objetivos son utilizados para mejor resaltar la soledad fundamental del hombre. Pues la certidumbre de esta soledad constituye la nota profunda de los poemas de *Pasión de la Tierra* y les infunde el tono apasionado que, por encima —o por debajo— de su eventual significación, destaca más acusadamente. Y hay algo en el sentimiento de soledad que nos conmueve por ser en definitiva revelador de una apenas velada desesperación por la inanidad y miseria del hombre. Probablemente sólo gracias a los versos más recientes de Aleixandre (sobre todo el poema «No basta», entendido como grito de fe, como expresión de la necesidad de un Dios sobre los indicios de su presencia en la hermosura de la tierra), puede ser rectamente entendida la intención de las prosas primeras, cuando se comprueba cómo en aquella desesperación existía un germen, entonces imperceptible, de confianza. Pues en definitiva, según decía Leopardi, la desesperación no es un estado que pueda durar.

En *Pasión de la Tierra* el caos es todavía caos y la angustia del poeta realísima y dolorida. Él sabe bien que su mensaje no aporta presentes amables, sino el amargo e inexorable *memento mori.* No es fácil dar expresión al tumultuoso caudal bullente en su espíritu, caudal de cosas terrenales, demasiado humanas a veces, y por eso determinante de una poesía arrebatada, *impura* y también paradójicamente llena de destello. (No sé quién dijo que sólo en la oscuridad puede verse el latido de las estrellas.)

Acaso por sugerencia inmediata del ensayo de Dámaso Alonso sobre *Espadas como Labios;* acaso por el recuerdo de uno de los poemas de Aleixandre mismo, la poesía de éste origina unas sensaciones que asocio inevitablemente al recuerdo de *La valse,* de Ravel. Son temas que apuntan, se inician y ceden el paso a una sonora niebla cuya envoltura rasgan de vez en cuando. El ritmo de los poemas en prosa que compone *Pasión de la Tierra* es asimismo una marea creciente. El poeta ha sentido la vida como un lugar mezquino, sórdido salón de espera en donde aguardamos que la muerte señale nuestro turno y nos haga pasar al otro lado. Ved sus palabras:

> Iban entrando uno por uno [uno a uno] y las paredes desangradas no eran de mármol frío. Entraban innumerables y se saludaban con los sombreros. Demonios de corta vista visitaban los corazones. Se miraban con desconfianza. Estropajos yacían sobre los suelos y las avispas los ignoraban. Un sabor de [a] tierra reseca descargaba de pronto sobre las lenguas y se hablaba de todo con conocimiento. Aquella dama, aquella señora argumentaba con su sombrero y los pechos de todos se hundían muy lentamente. Aguas. Naufragio. Equilibrio de las miradas. El cielo permanecía a su nivel, y un humo de lejanía salvaba todas las cosas. Los dedos de la mano del más viejo tenían tanta tristeza que el pasillo se acercaba lentamente, a la deriva, recargado de historias. Todos pasaban íntegramente a sí mismos y un telón de humo se hacía sangre todo. Sin remediarlo, las camisas temblaban bajo las chaquetas y las marcas de ropa estaban bordadas sobre la carne. «¿Me amas, di?» La más joven sonreía llena de anuncios. Brisas, brisas de abajo resolvían toda la niebla, y ella quedaba desnuda, irisada de acentos, hecha pura prosodia. «Te amo, sí» —y las paredes delicuescentes casi se deshacían en vaho.

En este poema se pueden separar sin dificultad las imágenes decisivas de las alusiones incidentales. Los hombres van juntando su desolación, su angustia. Hay la impavidez de la gran dama, cuya imponente presencia parece agobiar a los demás circunstantes. Y hay también una consideración del amor en esa pareja voluntariamente ciega a todo el resto, cerrando los ojos para retener una imagen precaria e impedir penetren en el alma los fuegos de la realidad. Los amantes son los únicos que un momento consiguen aislarse, pero al final, como los otros, se sentirán sobrecogidos por la llamada, que tal un golpe sordo de timbal, pone fin al episodio.

Aleixandre habla de angustia. Yo prefiero llamar desesperación a este sentimiento; aquel género de desesperación suscitada —según la tesis de Kierkegaard— por el deseo de llegar a ser uno mismo, desesperación no oculta sino manifiesta, y gracias a eso susceptible de remedio y cura. En otros poemas el sentimiento, idéntico en el fondo, muestra aspectos más sinuosos; en *Ropa y serpiente*, el desesperado lo está por su personal anécdota, y trata de arrojar lo adventicio y externo para hallarse en la desnudez, no con el fin de cambiar, sino con el de ser en plenitud, despojándose de vestiduras que lo debilitan y sojuzgan:

> Una a una, todas las fundas de mi vida caerán. ¡Serpiente larga! Sal. Rodea el mundo. ¡Surte! Pitón horrible, séme, que yo me sea en ti. Que pueda yo, envolviéndome, crujirme, ahogarme, deshacerme. Surtiré de mi cadáver alzando mis anillos, largo como todos los propósitos articulados, deslizándome sobre la historia mía abandonada, y todos los pájaros que salieron de mis deseos, todas las azules, rosas, blancas, tiernas palpitaciones que cantaban en los oídos, volverán a mis fauces y destellarán con líquido fulgor a través de mis miradas verdes. ¡Oh noche única! ¡Oh robusto cuerpo que te levantas como un látigo gigante y con tu agudo diente de perfidia hiendes la carne de la luna temprana!

Los recuerdos, el pasado, la experiencia anterior íntegra, quisiera perderlas a trueque de ganar esa autenticidad que presume magnífica, alzada en la noche única de la transformación. Es un sueño reflejado en esa imagen lentamente desarrollada, con morosidad agotadora del tema. La idea se manifiesta de modo imaginístico, como representación. No hay conceptos, sino imágenes, en esta poesía. Imágenes de diversos planos: lo real y lo imaginario. La fusión de uno y otro, efectuada sin soluciones de continuidad, crea verdaderas dificultades interpretativas, por cuanto quiebra la ilación lógica y obliga al lector a una permanente zozobra. La voz del poeta no marca transición: refiriéndose a una y otra zona es igualmente misteriosa en su tentativa de descubrir mundos ignorados y sin límites; canta al mismo tiempo el dolor del hombre, su ansia secreta, permanente, por alcanzar limbos apenas formulables, y la conciencia de estar arraigado en la tierra como en su propio elemento en espera de la muerte.

Es inútil pretender que estos poemas —poemas para iniciados— rindan su secreto en una primera lectura. Es necesario volver sobre ellos, insistir, y cada vez entregarán una parte del misterio, se esclarecerá una metáfora, advertiremos la total reverberación de una palabra. Primero serán apenas acordes sueltos, como en la música de *La valse,* envueltos en bruma; lentamente se irán precisando los motivos, y sólo después de diversos contactos aprehenderemos plenamente su sentido. Pero —al menos para mí— algunos fragmentos de *Pasión de la Tierra* son tan herméticos que su significación no me ha sido aún accesible. El repudio a la lírica antecedente y hasta a la coetánea es terminante, porque Aleixandre busca en lo impuro y oscuro la posible salvación de su ser poético. A veces se advierte cierta incoherencia, incoherencia acaso sólo formal, pero que provoca en el lector una actitud recelosa, como de quien teme ser mixtificado.

Aleixandre se salva por la sinceridad con que pretende entregarnos íntegramente su mundo y por el poderoso aliento de su canto. En *Pasión de la Tierra* revela el afán de trascender, de alcanzar las simas de lo desconocido por medio de la poesía; ésta es el medio para descubrir los secretos últimos del hombre y el universo. Si éste carece de sentido, la poesía descubre tal ausencia y el poema refleja su tremendo descubrimiento. En *El mundo está bien hecho* los seres, como en los relatos de Kafka, se apresuran para escapar al destino: contemplan la noche sobre el bosque, sienten el amor cercano y los peligros inmediatos. Quieren huir y no pueden; aún temen, aún confían. Les acucia la prisa y corren. Pero:

Si hemos llegado ya, estarás contemplando cómo la pared de cal se ha convertido en lava, en sirena instantánea de «Dime, dime para que te responda»; de «Ámame para que te enseñe»; de «Súmete y aprenderás a dar luz en forma de luna», en forma de silencio que bese la estepa del gran sueño. «Ámame», chillan los grillos. «Ámame», claman los cactos sin sus vainas. «Muere, muere», musita la fría, la gran serpiente larga que se asoma por el ojo divino y encuentra que el mundo está bien hecho.

Llegan, pues, al momento en que lo cotidiano se desmorona. Esa pared de cal equivale a la casa, al círculo de la vida propia, y su conversión en lava significa, con imagen de gran plasticidad, no sólo el derrumbe del recinto donde aquella existencia se desarrolla, sino su conversión en avalancha de materia que, como empujada por fuerzas demoníacas, todo lo arrastra. Y en el gran sueño se oyen voces invitando a morir para conocer, mientras sobre la tierra el canto de lo existente llama a la vida. Pero ha de ser la muerte, *la gran serpiente,* quien venza, satisfecha de esta creación, donde todo queda bajo su señorío.

Si mi interpretación no es equivocada, creo que la tesis de una actitud desesperada en el autor de tales poemas bien puede admitirse como válida. Ya señalé anteriormente que en *Sombra del Paraíso* supera Aleixandre la desesperación, como deja atrás también su fase de oscuridad; el mundo cruelísimo y revuelto de *Pasión de la Tierra* fue ordenado y clarificado o, según dice Dámaso Alonso, «el mundo en fusión ha ido a aquietarse en expresiones que, palpitantes aún, tienen ya la perennidad de los mármoles más bellos». Para quien desee comprobar la distancia salvada por Aleixandre en esos veinte años que le llevan de la juventud a la madurez, lo más sencillo será releer, después de los fragmentos insertos en mi comentario, el límpido *Corazón del poeta,* incluso en las primeras páginas de este número de *Proel.* En aquel mundo revuelto, propiamente caótico y tenebroso, se lograron el orden, la claridad y la armonía, sin que a través de los diversos avatares vividos por la poesía de Vicente Aleixandre se haya perdido aquel enérgico arrebato de los comienzos.

(Proel, núm. 2, otoño 1946)

pg 104-5
pg 138
_____

next week
pg 93-5 Vida
pg 135-7 a Clame
pg 156-7 Aaron
pg 129-131 Del Color de la Nada

pg 156 ·Ansiedad...
pg 129 'Del Color de la
              Nada!